L'OMBRE
DE MÉMOIRE

Du même auteur
chez le même éditeur

L'OMBRE DE MÉMOIRE, roman, 1990.
ROLAND BARTHES, VERS LE NEUTRE, essai, 1991
ALLÉES ET VENUES, roman, 1992.

BERNARD COMMENT

L'OMBRE DE MÉMOIRE

CHRISTIAN BOURGOIS ÉDITEUR

ISBN : 2-267-00878-5

C'est inouï et assez grandiose dans l'horreur de ne rien se rappeler.

Marcel PROUST.

ROBERT, HIER

De ce qu'il sait il se méfie ; ce qu'il ignore tient son esprit suspendu.

Italo CALVINO.

I

Tant de lectures, en vain. Des après-midi entiers de rage, de cris, de sueur, enfermé à courir après un bout de mémoire, et le lendemain, rien. Quelques bribes, trop pauvres, le rythme s'effondrait, le sens s'évaporait. Impossible de m'accrocher le moindre paragraphe, la moindre phrase dans le crâne. Alors ? Pas de quoi faire un drame, on me l'a assez souvent répété. Et pourtant, dès l'enfance, ce désir, ce seul désir de connaître, au plus vite. Tout apprendre d'avant, d'ailleurs, pour commencer à penser, ici, maintenant. Une question de disposition d'esprit, de don. Je n'étais pas doué. Mais en s'acharnant... L'espoir n'était pas forcément interdit, d'autant que je faisais preuve d'une étonnante capacité à mémoriser les événements *vécus*, mes propres expériences ou sensations, dans les plus infimes détails, comme un film, d'interminables bobines qui apparaissaient au quart de tour. Mattilda s'émerveillait de m'entendre évoquer telles circonstances du passé avec une pareille précision. Nos premières nuits, un geste, une odeur. Elle me plaisantait : « Pour un amnésique, tu te défends plutôt bien. » Je n'osais pas lui dire, à elle, l'amie d'enfance, l'amante, que ce n'était pas cette mémoire-là qui m'intéressait, mais celle des livres, des œuvres, de tout ce patrimoine dont nous étions les héritiers potentiels. Oui, le langage des autres, celui qui compte, qui fait autorité. La nervure des idées.

J'avais finalement décidé de m'en remettre à l'ordinateur, un support fiable, rétention assurée. Telle serait ma principale occupation : gaver la machine et stocker les données, remplir les cases du savoir, de l'histoire, l'une après l'autre, jusqu'à rejoindre le présent. Pour cela, il avait d'abord fallu trancher, et mettre le processus en marche à partir d'un point déterminé. J'avais choisi la Renaissance, italienne surtout, qui formerait ma plate-forme de lancement d'où s'opéreraient les généalogies, par courants et mouvements. Et depuis deux ans, trois bientôt, je multipliais les fiches, ouvrais des dossiers, pour apprendre à voir, pour soutenir le regard. Je n'essayais même pas de comprendre, de tisser une toile, ni de tenter une synthèse. Il s'agissait avant tout de brouter, assidûment, pour accumuler la matière. Une masse de matière.

Voilà, ce désir de passé, d'un passé qui ne m'échapperait plus et que je pourrais utiliser au présent, c'est ce que j'aurais voulu exprimer à Robert, en guise de présentation, le jour de notre rencontre. Mais je n'ai jamais su parler à quelqu'un, irrémédiable défaut d'élocution. J'avais bafouillé, cherchant désespérément à construire quelques phrases cohérentes. Les idées s'emmêlaient, j'oubliais la suite, les mots ne venaient pas. Si bien que le vieux n'avait peut-être rien compris à mes explications. Mais il avait senti que le problème, c'était la mémoire. Une obsession maladive. Il avait souri, avec une vague tendresse, et de la bienveillance je crois.

Oui, Robert. Un samedi, forcément. Le seul jour où je pouvais me rendre à la Bibliothèque nationale, à cause du travail. En dehors des heures de cours à la faculté, que je suivais de moins en moins, j'avais trouvé un petit emploi dans un bureau d'informatique, traitement de textes, indexation de capitaux et de transactions. Avec l'avantage que je disposais de tout le matériel dès la fermeture, en fin d'après-midi. Claviers multiples, écrans juxtaposés, impressions accélérées. Je restais parfois jusque tard dans la nuit, courant prendre un sandwich entre deux saisies, bourdonnant d'informations, étourdi devant ces paquets de caractères qui allaient se déverser, invisibles mais bien réels, sur leur petit support plastique. Cependant le samedi, les bureaux faisaient l'objet d'un nettoyage hebdomadaire, j'en profitais pour aller à la source, alimenter ma mémoire, enfin celle des machines. Je progressais dans la Bibliothèque nationale, selon un parcours à la fois périodique, thématique et alphabétique. Pour le XVe siècle, cette dernière ne suffisait pas toujours, je devais me risquer dans des endroits très difficiles d'accès, chez les moines en particulier. Sacrés bénédictins, pas commodes, il fallait montrer patte blanche, justifier son désir de lire. Probablement me trouvaient-ils un peu jeune, et en trop bonne santé, pour accéder à leur savoir précautionneusement renfermé, si rarement ventilé. Bien entendu, pas question d'un ordinateur. Je me souviens de leurs yeux effrayés, une véritable répulsion, comme devant le diable en personne, lorsqu'ils avaient découvert mon petit appareil portable. Nouvelle croisade à mener ! Depuis, ils n'arrêtaient pas de m'épier, de fouiller et refouiller ma serviette, mon veston, mon imperméable, s'imaginant sans doute qu'on en fabriquait de minuscules, de ces gadgets, espionnage pour le compte des franciscains, des libertins, des philistins, des Américains ou autres Japonais, violer leur trésor, leur mémoire, divulguer leurs archives. Heureusement, arrivé au XVIe siècle, ces expéditions devenaient moins fréquentes, merci Gutenberg.

C'était donc à la Bibliothèque nationale, un matin de pluie, de froid. Par hasard. Cela aurait tout aussi bien pu ne pas se passer. Mieux eût valu, en un certain sens. J'étais assis devant une table, un peu à l'écart, ma place favorite, malgré le manque de lumière. Un vieil homme était venu à moi, impatient, nerveux. Je n'avais pas compris ce qu'il désirait, les mots se déversaient trop vite, certains se perdaient dans sa voix retenue. Je me demandais ce que pouvait chercher cet inconnu qui se profilait massivement dans le contre-jour des plafonniers. Il s'était penché plus en avant, tout près de moi, j'avais senti une odeur de moisi, de pourriture, sans doute la pluie sur la poussière, et surtout sa bouche, véritable puanteur qui m'avait obligé à tourner un peu la tête, à me protéger de la main. Son regard, concentré, accrochait l'un de mes yeux, le fixait intensément pour quelques secondes, puis changeait de proie, s'emparait de l'autre, parfois des deux en même temps, comme pour me forer puis m'envelopper, comme pour m'envoûter. Il observait les deux volumes que j'avais en consultation, et mes instruments, cette technologie miniature avait dû le déconcerter. Un des bibliothécaires, effacé derrière lui, cherchait à m'expliquer le cas, mais le vieux ne lui en laissait pas l'occasion, barrait le chemin, parlant bientôt à voix haute, il aurait fini par crier, hurler je crois, si les voisins ne l'avaient pas très vite rappelé à l'ordre, et l'employé aussi, mal à l'aise.

« Vous laisser ces manuscrits ? Mais je travaille dessus, ceux-là précisément, pour les... enregistrer... les mettre en mémoire. J'essaie de déchiffrer, ce n'est pas très... et c'est le seul jour où... Non, vraiment... Et que vais-je faire ? Je n'ai aucun programme de rechange, impossible d'enchaîner sur autre chose. » Il n'était pas même dix heures ! Robert avait alors sorti les arguments de l'âge, de la fatigue, et la maladie, l'effort de se déplacer, il habitait hors du centre, à pied ça devenait une expédition. Il lui faudrait revenir, quelle énergie gaspillée, une journée presque, moi j'étais jeune, ça me coûterait moins, et encore un tas de salades du genre. Son ton variait sans cesse, imprévisible. Bientôt je n'avais plus su, plus pu répondre. J'avais abandonné. Il avait pris les manuscrits et avait gagné une table voisine, à l'écart elle aussi. Pour être exact, c'était le bibliothécaire lui-même qui avait porté les volumes, et qui l'avait installé, fort prévenant, courbettes et sourires à l'appui. Quant à moi, il me restait un ordinateur portable, très pratique, mais sans rien à y intégrer. Le vide. J'aurais pu rentrer, rejoindre Mattilda. Comme elle aurait été heureuse ! Etonnée aussi, mais heureuse, elle a toujours aimé les imprévus, les surprises. C'est pour cela qu'elle supportait mal mon esprit d'ordre et de méthode, cette obsession de travail à n'en plus sortir, nuits avalées par l'appétit de connaître. Oui, j'aurais pu rejoindre Mattilda. Tout aurait été plus simple, j'aurais marqué des points, et rien ne serait arrivé. Mais non ! J'avais parcouru le fichier central, relevé diverses cotes et références, pour la suite des opérations. J'avais aussi survolé les revues en exposition, comme pour tuer le temps.

Le vieux, debout et courbé, recopiait à toute allure sur un petit carnet, transpirant sans doute dans son manteau de pluie et cette immense salle surchauffée. Il n'avait même pas retiré sa casquette, un béret plutôt. De passage, visiblement. Assez vite il avait refermé les volumes avec soin, et avait paru réfléchir. Probablement avait-il remarqué que je l'observais. Lorsque je m'étais dirigé vers le guichet, puis la sortie, il m'avait suivi, de sorte que nous nous étions retrouvés dans le hall. Embarras, hésitations. Il m'avait remercié, froidement. Je ne savais quelle attitude adopter, comment enchaîner, nous allions nous quitter. Mais brusquement, il m'avait demandé, avec une légère nuance de reproche dans l'intonation, pourquoi je lisais ces manuscrits. Quel intérêt pouvais-je prendre à ces chroniques de voyage sans aucune valeur littéraire, des documents diplomatiques d'époque, ennuyeux, truffés de descriptions d'œuvres le plus souvent disparues, ou jugées mineures ? Comment en connaissais-je seulement l'existence ? Il donnait l'impression d'être sincèrement surpris, éberlué, comme devant un insoluble mystère, ou une aberration. Je ne trouvais rien à lui répondre, ou plutôt j'avais veillé à ne pas lui avouer que c'était un hasard. La chronologie, le maniérisme, et lettre P, comme Pontormo. Un drôle de bonhomme, élève surdoué des meilleurs ateliers dans la grande aventure florentine près de s'achever. J'étais plongé dans son histoire depuis plusieurs semaines, les images, le peu que j'en avais vu, me plaisaient beaucoup. De ce que j'avais ingurgité, c'est-à-dire bientôt deux siècles, des piles de disquettes, c'était mon préféré, le Pontormo, plus encore que Michel-Ange et autres grands noms. Mais je n'aurais pas su dire pourquoi, n'ayant lu à son propos que le texte de Vasari, pas très clair. Quant aux manuscrits dont Robert semblait tant se soucier, j'en avais trouvé l'indication dans un répertoire bibliographique déjà ancien, qui le donnait pour un des rares documents sérieux et précis sur des fresques disparues du Pontormo dont certains dessins préparatoires m'avaient intrigué, fasciné. Que lui dire de plus ?

A présent il me bombardait de questions, si j'avais eu l'occasion d'admirer la *Visitation*, la *Déposition* ? Et cette merveilleuse *Annonciation*, incroyable légèreté torsadée de l'ange, regard parfait et voilé de la Vierge... Leur avais-je consacré toute la contemplation requise ? Pauvre vieux, comme si j'avais eu le temps d'aller sur place, dans les musées, dans les chapelles ! A procéder ainsi pour chaque peintre, je n'avancerais pas assez vite, et le problème demeurait : pour apprécier, pour profiter de la vision vivante, il fallait savoir, être cultivé. Moi, je ne savais pas, pas encore. Il m'avait finalement demandé en quoi le Pontormo me plaisait. Je ne m'étais jamais soucié de motiver mes goûts, ni mes intérêts. J'avais donc suggéré : les couleurs. Ces oranges et ces verts. Puis j'avais ajouté : les dessins, une virtuosité toute subtile. Me venaient en tête ceux revus le matin même. Devant son silence, j'avais encore lancé une idée qui me tenait à cœur. Le maniérisme... enfin, on aurait pu... un moment clé... sorte de mémoire de la peinture... une première synthèse. La peinture comme mémoire de la peinture. Plusieurs aspects, souvent contradictoires, hérités du passé... et assemblés pour essayer d'atteindre à une beauté idéale. Oui, une mémoire active de la peinture ! Mais Robert m'avait interrompu, de sa voix pleine et sonore. Il avait proposé d'aller avant tout prendre un café, ou plutôt manger une glace. Nous serions plus à l'aise pour bavarder.

Nous n'avions pas encore quitté le grand hall d'accueil de la Bibliothèque qu'il s'engageait dans de longs développements. « Ah ! les esquisses de Pontormo ! Celles du chœur dédié à saint Laurent, son dernier travail... Heureusement qu'il nous reste cela ! Les plus extravagantes sont celles du *Déluge*, avec leurs grappes de corps enroulés, lovés, vrillés, plus une seule parcelle d'air libre dans cette masse mouvementée, rien que de la chair agglomérée en des torsions improbables, et ces visages hagards, yeux perdus dans de grandes orbites noires qui regardent pourtant, *nous* regardent. Et témoignent, peut-être. Fulgurante intuition, que pour le déluge la déformation du corps serait celle du gonflement par l'eau, personnages saisis au point extrême d'avant l'éclatement, grosses poches aux boursouflures emboîtées. Il faut détailler les lignes, et les ombrages, interroger les membres dispersés, les déhanchements mous, les têtes égarées, cet emportement tourbillonnaire où les poses et postures volent en éclats, où les classements s'effondrent. Le déluge ! Nous nous y retrouverons, mon petit... Forcément. Eh bien, savez-vous que ce diable de Pontormo, pour observer le mieux possible, disons les capacités du corps immergé, pour tester son élasticité, sa disponibilité, l'éprouver à fond, voir ce que ça donne, cette affaire de déluge, lorsque tout se noie et fout le camp dans le flot final, pour admirer cela, donc, il conservait des cadavres dans des auges pleines d'eau et les en imbibait, au point d'empester le voisinage par la puanteur de ses expériences. Voilà ! Une certaine conception du travail, n'est-ce pas ? Une façon d'aller au bout, sans frissonner, en empoignant le problème de face. Le temps n'était pas encore à l'hygiénisme frileux, ni aux certitudes de la médecine, aux pseudo-vérités de la science ! On pouvait rêver sur l'enveloppe du corps, et tout faire avaler au nom de l'art. Comment, vous n'avez pas lu ça ? Le surprenant laboratoire du Pontormo ? C'est pourtant attesté, par plusieurs sources dignes de foi, même la rumeur ecclésiastique de l'époque en fait état. Car l'Eglise s'estimait doublement concernée, en tant que commanditaire et lieu d'*exécution*. Imaginez la scène ! D'un côté, un clergé inquiet, méfiant. De l'autre, le peintre, déjà âgé, et malade le plus souvent, nauséeux, obsédé par ce qu'il mange et boit, craignant les excès, de peur d'exploser lui aussi. Il la sent arriver, la mort, ça l'intrigue. Il ne recontre plus personne, absorbé par ses fresques, immenses, interminables, dont il poursuit la réalisation, la besogne, depuis douze ans, à l'abri de tout regard. Acharné, le bonhomme ! Et lorsque le soir il rentre chez lui, tout aussi barricadé, il se plonge dans ses expériences, un grand bâton à la main, déplaçant, regroupant, agitant ses cadavres, dans l'oubli des odeurs. Il ne sent plus rien, ou s'en moque : il *voit*. Formidable composition de la décomposition. Alors la mémoire ? Une peinture de la mémoire ? Les autres " maniéristes " peut-être, élèves, rivaux, puisant leur art dans les réussites conjuguées du passé. Mais lui, Pontormo, non ! Le présent seulement, son présent, absolu, inouï. Jusqu'à aller voir, en direct, comment ça se passe, du côté de la mort, et après elle, dans certaines conditions établies. »

Il pleuvait, j'avais proposé de prendre un bus. Son glacier, le meilleur de la ville, n'était pas très proche, ça nous aurait évité les flaques. Mais Robert n'avait pas voulu en entendre parler, malgré le froid qui persistait depuis trop de jours. Avec leurs histoires de Sud, de soleil, de beau temps, cette année c'était plutôt loupé. Chaque année d'ailleurs. Mais personne ne voudra jamais l'admettre. Pour les habitants de la ville, pour les touristes, pour tout le monde en somme, le Sud, ça doit être chaud. Ils n'en démordront plus. Pas d'hiver, qu'ils disent, comme pour mieux se convaincre. Et le vieux qui me proposait des glaces ! Je n'avais cependant pas su refuser. Je ne voulais pas l'interrompre, il m'intimidait avec tant de savoir dans sa tête, là, prêt, instantanément à disposition. Autre chose que ma machine et mes manipulations laborieuses. Nous marchions ainsi dans les petites rues éclaboussées de pluie, certaines de ses fins de phrase se perdaient dans le vent violent qui s'engouffrait de toutes parts, fouettait nos visages. J'aurais voulu qu'il parlât longtemps encore, mon seul regret étant de ne pouvoir l'enregistrer, d'imaginer déjà que j'oublierais tout ou presque. C'était pourtant une occasion unique d'accélération fulgurante dans la constitution de ma mémoire. Car il semblait tout connaître, le vieux.

Pontormo devait être sa passion, son idole, avec le ton dont il en parlait, et ses envolées contre ceux qui l'avaient négligé ou méprisé. « Avoir osé supprimer les fresques de San Lorenzo ! Douze années de travail obstiné, harassant, des dizaines de mètres carrés de défi définitif ! C'est déjà un miracle que les esquisses aient été préservées. Surtout que ses dessins préparatoires sont le plus souvent des chefs-d'œuvre ! Tels quels, avec ces visages lunaires, ces personnages saisis dans les plus incroyables positions, le mouvement dans l'instant. Pas seulement les croquis du *Jugement dernier*. Rappelez-vous ceux autour de *Vertumne et Pomone,* première grosse commande de fresques, des études à la pierre noire, magnifiques, corps suspendus entre l'envol et la chute. Car c'est bien là l'étrange : faire comme si ça ne tombait pas, pas forcément. Ne pas s'en laisser conter par la pesanteur, ni par aucune loi, humaine, physique, scientifique ! » Et il faisait des gestes, esquissait des volutes avec ses bras, brusquement interrompues par quelque parapluie maladroit. Pour un peu il se serait blessé ! En tous les cas, ça lui avait coupé son élan, au vieux. Ou peut-être en avait-il fini avec Pontormo.

Pour enchaîner, Robert m'avait demandé ce que je faisais, dans la vie. Je ne m'attendais plus à une question, protégé que je me sentais par sa logorrhée, calfeutré dans l'écoute et l'admiration. J'avais essayé de répondre, des mots décousus par le froid et la bouche anesthésiée, quelques débuts de phrases, l'informatique, les études, une mémoire.

« Ah ! l'informatique... Pourquoi pas ? A condition pourtant d'y introduire la valeur, des érections de valeur, bien verticales, comme de petits hoquets dans le ronron ambiant. Oui, un classement permanent, et personnel ! Sinon, vous tombez dans le grand dépotoir anonyme et stérile des bibliothèques *publiques*. Je n'ai pas osé vous le dire tout à l'heure, avec l'employé dans mon dos, mais... je hais ces endroits. Attention ! j'appelle publique une bibliothèque dès qu'elle échappe à la propriété d'un seul individu. Comme si une collection de livres, leurs classements, leurs voisinages, cet ensemble si particulier de relations, pouvait être partagé... Et partagé en grand nombre, on n'arrête pas le progrès, internationalisation des rapports ! Vous devez être au courant ? Tous les grands centres bientôt connectés, la grande marée écranique, défilé standardisé de textes en papier mâché, composés dans un caractère unique, irrespectueux des genres, des rythmes, des tons. Garde à vous ! Cela paraît incroyable, mais encore dix ans, vingt ans, et les manuscrits, les imprimés, seront relégués dans les caves, reprogrammés sur disquettes ou cassettes ! Fin du livre, de son grain, de sa saveur. Machines broyeuses pour ingestion accélérée et diffusion sans passion, sans dimension. Mais personne ne s'insurge, personne ne pense même à s'étonner ! » Nous étions déjà arrivés, il en avait paru comme surpris. Mais il n'avait pas épuisé sa rage. « Un bel endroit de mort, leurs mausolées de la surface imprimée ! Grands temples du pseudo-partage ! Ou du partage véritable, puisqu'en définitive il n'y a que les cadavres, les charognes, qui se divisent, et pas du tout la vie. Là c'est tout différent, vous verrez, impossible de transmettre un livre qui vit, en lui, ou en vous. Impossible ! »

A notre entrée chez le glacier, nous avions trouvé une chaleur réconfortante après cette trotte pénible à travers la ville et ses ruelles étroites, accélérées par des rigoles en furie. Moi non plus, je n'aimais pas les bibliothèques. Une incapacité physique à y rester, sinon à dose homéopathique, et au prix d'un malaise tenace. Mais mes raisons se révéleraient à coup sûr moins nobles que les siennes. Ce que je ne supportais pas, c'était de voir cette foule vorace lire des ouvrages que je ne connaissais pas, ou pas encore, que je ne connaîtrais peut-être jamais et dont j'ignorais jusqu'au titre bien des fois. Oui, tous ces gens qui réveillaient la cruelle mesure de mes lacunes, l'ampleur de la tâche à accomplir encore, décourageante. Quant à ceux qui tenaient dans leurs mains un volume que j'avais déjà lu et intégré, ça n'allait guère mieux. Pire en fait. Prêtaient-ils attention à tel détail ? Remarquaient-ils les mêmes morceaux que moi ? Ou d'autres que j'aurais ratés ? J'enclenchais le processus de mémoire, comme un test douloureux dans la débâcle oublieuse, et rien, aucun souvenir, aucun écho, tout juste un code, le titre d'une disquette, rangée quelque part, pour plus tard, beaucoup plus tard. Cependant, face à Robert, je m'étais contenté d'approuver, une bibliothèque n'était en effet pas un espace facile à partager, en tous les cas ça n'allait pas de soi. Pour le reste, je n'avais pas d'idée arrêtée. En vérité, son point de vue me semblait exagéré, maniéré. Mais je voulais à tout prix éviter un dialogue, le calmer aussi, cette rapide évocation l'avait mis en ébullition, ce qui n'était pas un luxe dans l'air frigorifiant de leur fameux Sud.

Il avait voulu s'asseoir au fond, tout au fond de la salle, sur la banquette moelleuse qui semblait soutenir un immense miroir occupant toute la paroi. Nous y serions plus tranquilles pour observer les clients. Des glaces, à présent ! C'était un signe, j'aurais tout de suite dû me rendre compte que quelque chose ne tournait pas rond, avec le vieux. Et il n'en démordait pas, allant jusqu'à me refuser le droit de boire simplement un café ou une infusion. J'avais donc composé. Sabayon ! Et chocolat, et baies des bois ! D'habitude, c'est-à-dire les rares fois que je venais ici, avec Mattilda, un luxe pour nous, je prenais plutôt ananas, et banane, et framboise. Mais ce jour-là, les conditions étaient si différentes, exotiques pour ainsi dire, j'avais voulu innover, m'adapter à la saison.

« Comment ? Mais vous n'y pensez pas ! Une hérésie ! L'ensorcellement large du sabayon avec la mollesse un peu lourde du chocolat, passe encore, c'est tout à fait défendable, on vous suivrait volontiers. Mais y associer la fraîcheur forestière des baies... Deux registres absolument incompatibles ! Bien sûr, aucun ordinateur ne vous l'apprendra ni ne vous le confirmera. Mais l'évidence, mon petit, l'évidence. Un pareil mélange aurait dû vous crever les yeux avant même de heurter votre palais. Tout se trouve dans la couleur, réfléchissez un peu ! Et pas seulement en termes de peinture, ou de maniérisme. La synesthésie plutôt. Un tant soit peu d'imagination, de perspicacité, et vous n'auriez jamais fauté. Le spectacle des couleurs n'est-il pas à lui seul l'indice des justes rapprochements ? Leur harmonie ne préfigure-t-elle pas celle des saveurs ? Je vous laisse concevoir les innombrables assortiments possibles, dont certains jouent sur d'infimes nuances pastel développant un effet tardif. Melon, banane et crème par exemple, à quoi l'on pourrait ajouter, pour les grandes occasions, quelque chose comme noisette, ou noix, ou coco. Encore convient-il de ne pas se fier aveuglément aux couleurs, ni aux teintes. Rien de systématique dans tout cela ! Ananas, ou citron, produisent, malgré leur apparence délicate, un désastre d'agressivité dans les compositions crémeuses. C'est le problème plus général des arômes fruités lorsqu'ils sont associés entre eux, et entraînent de brutales meurtrissures pour les papilles optiques et gustatives. Supposons : cassis, framboise, abricot. Mélange, séduisant, mais d'une violence exécrable ! » Et ce n'était rien. Il avait découvert, à deux pas de la cathédrale, un bar qui proposait des glaces fluorescentes ! « Enfin vous, pas de problème, ça ne doit guère vous choquer, avec votre mélange explosif de glaces, et votre informatique. Très *branché !* Pauvre Pontormo... »

Il crachait les mots, dans l'emportement de ses pensées. Je n'arrivais plus à détacher mes yeux de ses lèvres révulsées, de son nez au bout protubérant. Et le regard, rapace, surprenant contraste de vie, d'éclat, au milieu d'une peau épuisée, comme pourrie. Pourquoi me racontait-il ces histoires, de peinture, de glaces, de couleurs ? Et si vite ? Il n'arrêterait donc plus de parler ? Encore quelques attaques, contre l'Amérique qui n'en finissait pas de débarquer, qui nous envahissait ; contre le laisser-aller général, la tolérance coupable, la disparition de toute forme de raffinement. Puis il s'était tu, quelques minutes. Il semblait à bout de souffle, vidé. Les yeux avaient soudainement perdu leur tension, les paupières s'étaient alourdies. Et qu'est-ce que je pouvais lui répondre ? Que je n'y avais pas pensé ? L'informatique, je n'y croyais pas plus que lui, je m'en serais volontiers passé si j'avais possédé un peu de mémoire, rien qu'une parcelle de la sienne par exemple, mais dans mon état d'amnésie automatique et chronique, c'était une aide précieuse, mon seul espoir. Il aurait dû comprendre ! Mais non, précisément. Pas lui, qui savait tout. Il ne pouvait pas partager mes angoisses. J'avais préféré me taire, ne pas même sourire. Prolonger l'accalmie, simplement. J'aurais aussi pu m'en aller. Matilda devait s'impatienter, j'étais en train de lui voler de précieuses heures, l'après-midi était déjà bien entamé. Au demeurant, ce vieux, je ne le connaissais pas, rien de lui n'aurait dû me concerner. Je m'étais montré serviable avec lui, respectueux, et il cherchait à m'offenser.

Elle était très belle, sa théorie des glaces. Mais finalement, à chacun ses goûts, et ses caprices ! Nous avions fini par reprendre quelque chose, un café, lui une tisane je crois, et une pièce pâtissière. Pendant un long silence, son visage s'était recomposé autour de longues et profondes rides, verticales surtout, cicatrices de la joie ou de l'effort.

Nous avions relancé notre discussion sur la peinture. Il se référait à certains détails inimaginables, à croire qu'il avait parcouru les musées à la loupe, et la même chose pour les textes. Mais son attention se laissait de plus en plus attirer vers le comptoir, jusqu'à l'absorber tout à fait. « Regarder les enfants ! Ce sont eux que je viens observer ici, leur émerveillement devant les glaces lorsqu'ils ne savent quel parfum choisir, et rêvent de tous les goûter. Un régal ! Je vous épargne le catalogue approfondi des différentes attitudes, les moues, les étincelles. Depuis plus de quarante ans que je les contemple... Ce serait pourtant une imbécillité sans nom de croire, ou de faire croire, que tous les gosses sont forcément adorables, et charmants, et attendrissants. Pas du tout ! Certains sont infects. Les obèses blasés par exemple, jamais un sourire, rien que la satisfaction mécanique d'appétits sans désir. Il leur faudrait quelques bonnes fessées, pour apprendre à contrôler enfin leurs tripes, à relancer la machine glandulaire. Quant aux autres ? Les pleurnicheurs, les renifleurs ? Les baveux et caqueux, les endormis, les impolis ? En fait, la majorité des enfants ressemble à la majorité des adultes, rictus hypocrites déjà, médiocrement orgueilleux. Transmission intensifiée de la cruauté au rabais, traces de pères, traces de mères, petites vies bien grises en perspective. Avez-vous noté la subtilité de la langue ? Grise et griser, une vie grisante : le verbe contre l'adjectif ! Mais pour passer de l'un à l'autre, il faut risquer, ouvrir les yeux, accepter de se faire peur, de considérer un certain nombre de spectacles en face, dans toutes leurs conséquences, comme le vieux Pontormo, encore lui, une vie véritablement grisante celle-là, en couleurs. Eux ? Les gens, le trop commun des mortels ? Observez-les ! Gris, éteints. Regards fuyants. Et la bouche pliée, repliée, affaissée aux deux commissures, l'incuriosité enveloppante, à même le muscle. Morts sans avoir vécu, morne plaine, trop-plein de morts-vivants. Morne masse, la *mor-masse,* gigantesque salle d'attente et de conservation de l'espèce. Des enfants ? De moins en moins ! Les parents se font de plus en plus adolescents, leur progéniture de plus en plus adulte, où voulez-vous donc qu'ils se rencontrent sinon dans un âge bête bientôt généralisé ? » Et il avait poursuivi, à ce train-là nous aurions pu y passer la journée. Robert donnait l'impression d'avoir réfléchi à tout, de n'être jamais pris au dépourvu. Je ne l'écoutais plus qu'avec difficulté, ayant dépassé depuis longtemps ma capacité maximale d'absorption.

Tout à coup, il avait baissé le ton, de façon rêveuse et triste. « Le drame aujourd'hui, c'est que la contemplation des enfants doit se faire clandestine, on ne peut plus les admirer qu'à la dérobée. Avec les histoires que les gens entendent, enlèvements, empoisonnements, viols, rançons, traumatismes, ils se méfient, parents, voisins, tout le monde sur le qui-vive. Un regard quelque peu prolongé, attendri, un clin d'œil, un geste amical, et l'on vous soupçonne aussitôt de pédophilie, de brigandage ; on vous soustrait l'enfant, avec des ricanements vindicatifs. Les gosses eux-mêmes deviennent craintifs, on aura fini par tuer leur innocence. Vieillir pour en arriver à ne plus pouvoir regarder les enfants ! D'ailleurs il n'y aura bientôt plus d'enfants, je vous l'ai dit. Même plus cela. »

Il avait soupiré, et secoué la tête, accablé. Il devait penser à un événement, ou à quelqu'un de précis. « Allons-y, il est tard. Vous avez été si gentil ce matin, si serviable. Et Pontormo, et cet endroit, les enfants. Je ne vous aurai pas beaucoup laissé parler... Pourtant, votre vision du maniérisme, et du savoir. Très étrange. Peut-être n'ai-je pas vraiment saisi. Mais il y a quelque chose de fascinant, dans votre... fascination ! C'est difficile à définir. Nous pourrions en reparler, j'aurai peut-être une proposition à vous faire. Venez chez moi, cette semaine, un soir. Mercredi. » Robert avait souri. C'était un ordre.

II

J'avais pensé que ça intéresserait Mattilda, ce vieux et ses discours à propos de tout, l'évaluation infatigable à laquelle il soumettait le monde. Elle aimait bien que je lui raconte des histoires, ou que je lui parle de mon travail, des heures passées loin d'elle. Mais habituellement, je ne disais pas grand-chose, toujours cette difficulté à trouver les mots, à organiser des phrases. J'avais déjà assez de problèmes à retenir celles des autres, pour ne pas ajouter à la confusion par mes propres discours.

Pourtant, ce samedi-là, j'étais tellement en retard, et enthousiaste, que pour me faire pardonner, pour partager mon admiration, je lui avais rapporté ma rencontre avec Robert dans les moindres détails. J'avais oublié la laideur, l'odeur du vieillard, seuls ses propos résonnaient encore dans ma tête et se déversaient tout naturellement par ma bouche, comme s'ils étaient devenus miens. Arrivé à la fin du récit, à sa proposition de nous revoir bientôt, j'étais en nage. Il avait dû me trouver sympathique. Ou peut-être s'était-il exagéré la portée de mon intérêt pour Pontormo, pour le maniérisme, pour la peinture ? Car mon approche n'était qu'un premier survol où tout ne serait jamais qu'étape, avant le panorama final. Lui, au contraire, avait dépassé ce stade depuis longtemps. Il opérait dans un domaine particulier, moins visible sans doute, comme un mystère, un secret. Avec sa mémoire et les données qu'elle contenait, il pouvait se permettre de penser autrement, et risquer de nouvelles analyses. Il pouvait explorer l'inconnu, l'impensé.

Mattilda n'avait jamais partagé ma fascination pour le savoir. Toutes ces connaissances, pour elle, demeuraient fonctionnelles, et devaient déboucher sur un diplôme, une pratique, un métier. D'emblée donc, elle avait trouvé un peu ridicule mon obsession d'apprendre, d'accumuler les références, avec une telle frénésie. Selon elle, c'était précisément parce que je voulais tout savoir que je ne retenais rien. Elle avait à ce propos de jolies idées. Ce qui comptait n'était pas d'ingurgiter des quantités de phrases et des pans de bibliothèque dans sa petite tête ou dans une machine, mais de faire les bonnes rencontres. Grappiller, butiner au hasard. Attendre la touche, les mots qui vous frappent, qui vous happent. Et puis, on n'avait pas besoin de tout connaître pour parler.

Il faut admettre que cette désinvolture lui allait bien, à Mattilda. Par l'oubli, ou l'ignorance, elle avait su garder un peu de fraîcheur, et d'innocence. De son point de vue, on ne pouvait que lui donner raison. Il s'agissait d'observer les choses, des ruptures, et leurs mouvements, saisir les instants, s'en étourdir, s'en éblouir, et fini, envolés, tant pis, tant mieux. Pourquoi toujours stocker ? Les choses importantes demeureraient d'elles-mêmes. D'ailleurs, développer excessivement sa mémoire revenait tôt ou tard à atrophier le regard, et toute sensation, tout sentiment. Avec mes scrupules, je finirais ma vie dans des sous-sols d'archives, je deviendrais comme les autres, gris et conforme. La méthode ! L'exhaustivité ! Toujours la même rengaine. Quand comprendrais-je qu'on pouvait s'en passer ? Les artistes que j'étudiais et admirais tant n'étaient-ils pas les premiers à s'en être affranchis ?

Quinze ans au moins que nous nous connaissions, Mattilda et moi. Amis de jeu dans les préaux, puis au lycée, découverte, ensemble, de la jouissance, sans bien comprendre ce qui se passait entre nos deux corps, surprises liquides, respiration inégale, mais liés davantage encore par ces maladresses initiales. Depuis, sa précision dans l'amour me fascinait ; un art de s'impliquer à l'extrême. On y sentait une priorité. Pour sa part, elle m'aurait plus volontiers destiné aux plaisirs qu'à l'érudition. Alors évidemment, avec une pareille conception de la vie, du monde, et malgré la satisfaction de m'entendre pour une fois parler, m'animer, oui, avec ses idées, Mattilda ne pouvait pas souscrire à mon admiration pour Robert. Son visage affichait une certaine méfiance. Comme si elle avait flairé un danger. Comme si elle avait eu le pressentiment de ce qui allait arriver.

Elle aurait pourtant voulu m'accompagner, chez le vieux, découvrir ce bonhomme qui l'intriguait par la façon très agitée dont je l'avais évoqué. Devant mon embarras, elle avait insisté. Mais j'avais refusé. Elle qui ne voulait jamais sortir ni rencontrer personne ! Et je sentais qu'il était préférable d'aller seul. Par simple politesse. Robert n'apprécierait pas forcément d'être envahi, surtout qu'il avait une proposition à me faire, ça devait se discuter à deux. De toute façon je la connaissais, Mattilda, au dernier moment elle aurait changé d'avis. Néanmoins, elle m'en avait voulu. Je le voyais à son regard légèrement voilé, à la fine vibration qui accentuait le dessin de ses yeux.

III

Robert, au moment de se quitter, m'avait expliqué comment parvenir à sa maison. Un endroit proche de la ville, mais qui ressemblait à la campagne. Il ne fallait pas se tromper, car pour y accéder depuis les quais du fleuve, on devait s'enfiler dans un véritable dédale de ruelles sinueuses, au terme duquel on débouchait sur des champs à moitié cultivés. Ensuite, c'était très simple, je ne pouvais pas la rater. Il m'avait encore téléphoné le matin même, très tôt, pour s'assurer que je viendrais, et ponctuel, dix-sept heures précises, il ne supportait pas les retards, organisant son emploi du temps de façon à ne pas abandonner une seule minute à l'improvisation. Mattilda dormait encore, moi je ne savais à quoi m'employer dans les minutes glauques de l'aube. Je ne m'étais jamais levé si tôt. Tempérament peu matinal, c'est le moins que l'on puisse dire. Mais là, je me sentais animé d'une énergie nouvelle. J'avais contemplé Mattilda, sa façon particulière de s'envelopper dans le sommeil, d'en jouir, oui, exactement, d'en jouir, elle le portait sur son visage, qu'elle aimait dormir.

Le quartier où résidait le vieux était surprenant, sorte d'enclave, vaste, de verdure dans la cité, avec un jardin public dans sa partie basse, désert sinon un couple d'adolescents amoureux égarés dans le froid ; avec des tilleuls aussi, et un cèdre. Partant de là, des escaliers montaient jusqu'à l'Observatoire et longeaient la maison de Robert, au tiers du parcours.

A peine arrivé, j'étais encore sur le seuil, le reconnaissant difficilement dans une vareuse bleue et avec ses lunettes qu'il ne portait pas lors de notre première rencontre, sans doute m'avait-il aperçu et il avait voulu me précéder sur le perron, aussitôt donc je lui avais exprimé mon enthousiasme. Tous les avantages de la ville, et le calme ; et son jardin, ce que j'en devinais, entourant la maison, lui donnant une respiration agréable, détendue ; et ces cultures potagères, ces arbres fruitiers, comme ce devait être beau, en automne ; au printemps déjà, avec les fleurs... « Oui, en effet c'est magnifique. Et j'y ai pris mes habitudes, vous pensez, depuis vingt ans ! L'aspect le plus précieux, à mon âge, c'est la proximité du centre. Mais ne vous faites pas d'illusions, ça change, ça a changé, même ici. L'été est devenu infernal. » Le petit square s'était transformé en un véritable déversoir où la ville vomissait son trop-plein de visiteurs. Et pas les meilleurs ! Jeunesse en dérive, imbibée de bière. L'écume nauséeuse d'une masse toujours plus envahissante et cacophonique de touristes. Car la zone historique n'était guère mieux lotie, avec ses vieux couples décrépits à peau rougeoyante. « La solution à ce fléau moderne, c'est peut-être vous qui la détenez, avec votre informatique... Au lieu d'y introduire de la littérature et de la peinture, dans ces ordinateurs, pourquoi n'y mettez-vous pas des villes, des circuits touristiques, présentés sous tous les angles ? Images à profusion ! Le monde entier pour le monde entier sur fibres optiques, chacun confortablement installé devant son petit écran... Enfin un bienfait technologique ! Les cités pourraient être restituées à leurs habitants, à leurs travailleurs, et retrouveraient ainsi leur charme particulier. » Comme à l'époque de ses premiers voyages à lui, mais tout était très différent alors. Vous pouviez débarquer dans n'importe quelle autre région que la vôtre, pas forcément très éloignée, ni exotique, non, simplement ailleurs, et le contraste surgissait, vous aviez l'impression de découvrir un monde. Aujourd'hui, tous les pays se ressemblaient, décors uniformisés du parcours international, avec les mêmes produits, la même cuisine, les mêmes sourires convenus, seul le décalage horaire réussissait encore à donner le frisson du déplacement, l'idée d'étrangeté. Dans ces conditions, il se contentait volontiers de son coin de terrain, îlot préservé dans la marée urbaine. C'était vrai qu'on y vivait bien, sauf l'isolement parfois, l'hiver à cause du gel ou de la neige, et l'été cette satanée désertion d'août. « Mais entrez ! Vous devez être gelé, à bêtement m'écouter. Une fois que j'ai démarré... Pour un peu je vous aurais oublié ! »

Ce qui m'avait frappé d'emblée, au point de m'en trouver presque mal, c'était une épouvantable odeur, de renfermé, et de cuisine grasse, à quoi venait s'ajouter une étouffante fumée qui enrobait tout, mobilier, bibelots, personnes, et devait provenir d'une cheminée au tirage incertain. De l'extérieur, la maison m'avait semblé énorme. Les dimensions spectaculaires du salon où Robert m'avait prié de m'installer dans la partie doucement éclairée par deux lampes trapues, confirmaient cette première impression. Un espace beaucoup trop vaste pour lui, cela pouvait expliquer la négligence malodorante et crasseuse des lieux. J'ai toujours eu l'odorat très sensible. C'était bien ma chance. Par la suite, je me suis souvent demandé si les capacités olfactives n'étaient pas inversement proportionnées à celles de la mémoire, en pensant au vieux et à moi.

Il occupait déjà un crapaud couleur abricot, dont les pieds se trouvaient bordés de livres posés en vrac. C'était son fauteuil, et l'on ne pouvait plus deviner si les ressorts s'étaient rompus sous l'effet de son poids, ou s'ils avaient au contraire déformé petit à petit le corps vulnérable et malléable du vieillard. En tous les cas, il en résultait une parfaite symbiose. Robert s'y était tassé, la tête légèrement penchée en avant, avec une expression du visage qui invitait à prendre place à mon tour. Il m'avait alors toisé, longuement, sans un mot, de son regard perçant, méthodique, n'épargnant aucune parcelle, aucun détail. Le silence en présence de quelqu'un m'angoissait très vite. J'avais baissé les yeux, pour les attacher à une pile de dossiers épais, oblongs, posés sur une table basse, juste à côté du fauteuil, et dont il avait probablement interrompu la consultation pour venir m'accueillir, satisfait que je fusse à l'heure. Après quelques minutes, il avait simplement prononcé de sa voix forte et assurée : « Jacopo Pontormo. Il Pontormo », pour se replonger dans son mutisme observateur. Mais il avait bientôt démarré, lentement, rêveusement. Toujours cet ensemble, disparu, des dernières fresques à San Lorenzo. « Un vertige de peinture, avec l'obsession hallucinée du corps final, de la mort en acte, et l'artiste qui s'égare dans des charniers de couleurs. Plus aucun repère, le déluge, la résurrection, l'ascension, quelques autres scènes, sont comme emportés dans une somptueuse convulsion. Le sens de tout cela ? Pauvres historiens, pauvres interprètes, de quoi se creuser la tête pendant des siècles ! Aujourd'hui encore, du travail pour l'infatigable critique des sources... Mais la seule source, bien réelle, c'est le puits où Jacopo entassait ses cadavres, et l'œil pour les examiner, les triturer ! Uniquement cela ! Du coup, même Vasari en reste pantois, prétend ne rien comprendre à la logique d'une telle composition. » A l'improviste, en toute décontraction, le vieux s'était mis à citer le témoignage de ce dernier, des pages entières, dans leur version originale. Puis il avait ironisé, comparant les propos inquiets et perplexes tenus sur Pontormo avec d'autres passages des *Vies*, impitoyables ceux-là. « On croit rêver, n'est-ce pas ? Vasari qui passe son temps à juger les autres, et qui tout à coup s'abstient humblement, pour ne regretter qu'un certain manque de plaisir.

C'est que Pontormo l'excède ! Il déborde son entreprise biographique, ou la hante, sorte d'ombre portée de Thanatos. Car la question, la vraie question, se trouve précisément dans le corps achevé, crevé, dans l'analyse minutieuse et attentive qui en est faite, et où se forme, s'informe une certaine peinture. Celle de Léonard, celle du Rosso Fiorentino aussi, allant déterrer les cadavres dans le cimetière de Borgo Sansepolcro pour se livrer à leur étude. Celle de Géricault plus tard, ramassant les déchets de la guillotine, multipliant les croquis anatomiques de l'horreur, dont un inoubliable petit lavis, bref, définitif, *Le combat avec la mort*, insupportable lucidité ! Mais chez Pontormo, à partir de ce charnier dont Vasari se garde bien de parler, c'est d'une mort vive, plus vive encore qu'il s'agit, odorante, agressive, la vérité d'une certaine putrescence. Alors personne n'a voulu ouvrir les yeux, ni se confronter à la mort imminente, comme lui l'avait fait, sans relâche, sans lâcheté. On a préféré détruire cet inéluctable spectacle, moins de deux siècles plus tard. Toutes ces fresques, pulvérisées ! Officiellement, pour raison de restauration... C'est-à-dire, très exactement, d'indigestion. Petits estomacs fragiles, incapables d'encaisser les secousses majeures, les attaques frontales. Car il n'y a que les morts-vivants pour trembler dans une peur aveugle de la mort. Lorsqu'on vit vraiment, c'est *avec* elle, jusqu'au bout, et non *contre* elle. On la provoque. Un numéro de charme, irrévérencieux, habile, pour en faire le tour, pour essayer de la voir, de la fixer. »

Robert avait poursuivi sur l'intolérance. Combien d'œuvres gaspillées, anéanties, les plus grandes souvent ? Il pouvait en dresser le catalogue ! Giotto à Naples, à Rome, à Florence. Et Masaccio, et Piero della Francesca, et une infinité d'autres. Sac de Rome, ressacs du mauvais goût et des malentendus, un accablant plaidoyer contre la bêtise du monde. « On s'est toujours attaqué à ce qu'il y avait de plus beau, supprimant ici, déformant là, riant encore, à défaut de pouvoir déchirer, ou crever, ou cracher. Lorsque je vois une belle œuvre du passé, je ne peux m'empêcher de penser au miracle d'avoir résisté jusqu'à nous, d'avoir survécu au flot des mépris et injures, d'être passée entre les gouttes de la sueur mondaine. Aussi mon ambition est-elle de faire revivre ces œuvres, ces textes, tous les trésors que des imbéciles incultes ou jaloux ont pu prétendre destiner à l'oubli définitif. Non, messieurs les censeurs ! Aucun oubli ! Nulle perte ! Il faut tenir, fermement, contre la barbarie toujours prête à recommencer, jamais assouvie. Même le *Jugement dernier* de Michel-Ange a failli y passer, sous Paul IV je crois, le jeune Greco s'apprêtait à peindre par-dessus si Titien n'était pas intervenu de toute son autorité ! »

Je n'en croyais pas mes oreilles. Non seulement il récitait Vasari par cœur, mais en plus il connaissait ce qui avait disparu, ce qu'il n'avait jamais pu voir ! Il s'était en quelque sorte annexé la mémoire oubliée, grâce à un flot de descriptions multipliées, de regards superposés, remontant dans le temps sans plus de limites, rognant sur l'amnésie du monde. Au point d'en arriver à éprouver une certaine prédilection pour ces œuvres détruites, dont il ne restait que peu de traces, indirectes. « Reconstruire le tableau, une image qui n'existe que par témoignages, des bribes incertaines, ça fait rêver ! Quoi de plus exaltant ? Et puis il y a le renfort des dessins, préparatoires ou de travail. Ils représentent la pointe de l'art, libérant une folie supérieure, et des audaces, à l'insu des académies et du public : en dehors du partage ! » Cet intérêt pour les œuvres perdues n'excluait cependant en rien celles qui nous restaient. Il proposait donc d'aller en revoir, quelques-unes, ensemble. « Des maniéristes, quelque chose de Pontormo, histoire d'illustrer la discussion. Seul, en hiver, je n'ose guère m'aventurer, à cause des chemins glissants, et ma voiture supporte mal le froid, elle attend les beaux jours, plus délicate que moi encore. En votre compagnie pourtant, ce sera différent. » Mon programme ne prévoyait pas du tout la course aux pinacothèques, je risquais de prendre trop de retard. Mais Robert fixait déjà le rendez-vous. « Pas demain, je voudrais terminer une lecture, mais après-demain, vendredi, très bien. Il faudra partir tôt, que ça ne déborde pas la matinée, disons huit heures au plus tard ! »

Une nouvelle fois, j'avais consenti, docile et vaincu. Il m'avait demandé si cela m'ennuyait, de me lever à l'aube. Je lui avais répondu que non, au contraire, il fallait profiter des journées, et encore deux ou trois phrases balbutiées dans l'hypocrisie. Brusquement le vieux m'avait interrompu. Le travail l'appelait, heure tardive, son horaire, des choses en tête. Pour ce dont il voulait m'entretenir, la proposition qu'il avait dit avoir à me faire, peut-être s'était-il avancé trop vite. Nous pourrions y repenser. « Cela ne vous ennuie pas que nous nous revoyions ? »

IV

J'étais arrivé à la lettre R, c'est-à-dire au Rosso Fiorentino, un personnage étrange, pas facile à digérer. Ses pérégrinations italiennes, la fréquentation de la cour de François Ier. Et son suicide final, plus mystérieux qu'il n'y pourrait paraître. Sur le Rosso, les documents abondaient, de tout genre. Un gros morceau, compliqué, agent décisif dans le mouvement de transmission de l'audace florentine vers la France. Il me restait quelques bons kilos de textes et d'images à ingurgiter. Alors, passer des heures devant des fresques de Pontormo, déjà intégrées sur disquette, et classées, cela ne me tentait pas vraiment. Seul Andrea del Sarto peut-être, lettre S, une des prochaines étapes, je pourrais l'anticiper légèrement, m'y préparer par la contemplation. Il devait bien s'en trouver dans un musée pas trop éloigné.

Perdu dans ces réflexions, j'en avais oublié Robert. Il s'était déjà levé pour aller payer les consommations et les croissants. Nous devions partir sans plus tarder, l'abbaye qu'il avait choisie se trouvait hors de ville, c'était la bonne heure, avant les embouteillages. Je n'avais rien pu rétorquer, toujours cette lenteur qui me faisait tomber hors propos, qui me coupait des moments de décision. Et qu'est-ce que cela aurait changé à l'affaire ? J'avais donc proposé de prendre l'autobus, il y avait une ligne directe, nous y parviendrions plus vite. Avec ce froid pénétrant, un vent sec qui s'insinuait dans les plus timides ouvertures, piquait le visage de petites pointes givrées, je ne voyais pas de meilleure solution. Les lèvres maladroites ne parvenaient plus à lâcher que d'incertaines paroles, comme d'ivresse, expulsant dans l'air sans grain des phylactères vaporeux. Cela n'avait pas empêché Robert de se mettre à hurler, on devait encore l'entendre distinctement depuis l'intérieur du café. « L'autobus ? Merci ! Vous êtes fou ou quoi ? Et vous prétendez vous intéresser à la peinture ! A l'art ! Beau commencement ! Bravo ! Les transports publics... Une obscénité ! Je ne parle même pas de leur inconfort, de leur promiscuité imposée. Ni du bruit. Non, simplement la couleur ! » Le volume de sa voix avait retrouvé un niveau à peu près normal, mais la bouche semblait trop étroite pour laisser passer sa rage. Il s'était arrêté, au milieu de la place, dans le vent, oubliant les frimas. « La couleur ! Cet orange industriel, vulgaire, qui sillonne la ville et la meurtrit, un viol permanent de l'œil ! Sans doute la décision irréfléchie d'un administrateur quelconque, et voilà le résultat. Car elle a été *choisie*, cette couleur, c'est ça le plus incroyable. Et le pire des oranges ! » Il avait grimacé, pour assouplir son débit, détendre les lèvres. « C'est qu'il y en a des centaines, de ces bus. Aux heures de pointe, leur incessante procession entraîne un véritable désastre, toute la beauté de la cité, de ses rues titubantes, s'effondre. Il y avait pourtant d'autres solutions ! Bleu par exemple. Ou jaune citron ! Imaginez-vous, petites taches de soleil à bordures blanches, quelle allure... » A défaut, nous avions pris un taxi, ça coûterait le tarif double puisque nous devions sortir de l'agglomération.

Arrivés à son abbaye, après que Robert eut gravi avec peine le petit chemin sinueux et caillouteux qui y menait, s'accrochant craintivement à mon bras, nous avions trouvé porte close. « Fermé pour cause de restauration, comme annoncé par voie de presse. » J'avais réprimé une soudaine envie de rire. Le vieux, encore essoufflé de ses efforts d'ascension, ne comprenait pas bien, ne voulait pas y croire, plissant les yeux pour se concentrer, se ressaisir. « Nous aurions beau sonner, frapper, hurler, ils n'ouvriront pas ! Ils resteront sourds aux meilleurs arguments. Une manie chez eux, vœux d'abstinence, de silence, d'inappétence, la fermeture de tous les trous. Je les connais, carmes, chartreux ou autres, ce sont les mêmes : la règle, un point c'est tout. Ils auront passé un avis dans les feuilles paroissiales du district, aussitôt pris de vertige devant une pareille diffusion. Quelle galère ! » Il souriait à présent. C'est qu'il ne pouvait pas à chaque fois fulminer, surtout avec les problèmes pulmonaires et artériels dont il m'avait brièvement fait part en montant. « Pour les fresques, c'est cuit ! Enfin, façon de parler. Il va falloir se lancer dans la froidure, regagner la ville. Mais ça nous fera du bien, et tant qu'il ne pleut pas... » Après sa diatribe de tout à l'heure, j'avais jugé préférable de ne pas suggérer l'autobus. Il devait être assez têtu, jamais il n'aurait accepté de se contredire devant moi.

Alors nous étions rentrés à pied ! Une heure et demie, jusque dans son quartier. Robert en avait profité pour me parler d'un tas de choses, très vite, avec parfois un long silence pour reprendre son souffle, ou rassembler ses idées. Ma conception du maniérisme comme mémoire de la peinture le tracassait. Certes, la *terribilità* de Michel-Ange, la *venustà* raffinée et douce de Raphaël, et Léonard, tout cela ouvrirait ensuite à une combinatoire des formes, à une alliance des perfections. Leur postérité s'était plu, complu même, à reprendre et associer divers modèles dans leurs éléments les plus réussis, ici les mains, là des visages, un corps. Les génies, pris chaque fois dans le détail de leurs perfections, devaient conduire à la *maniera* définitive, à l'harmonie absolue. On pouvait donc parler d'une préoccupation de mémoire, explicite. « Ce n'est pas un hasard si, contemporainement, l'histoire de l'art s'est constituée en discipline, par Vasari notamment. Mais franchement, la peinture comme mémoire, je crois que ça vaut pour tous les courants, toutes les périodes. On ne peint pas sans ce halo de passé qui entoure la main, et l'œil, sans cette énergie de visions qui tend le muscle, affûte le regard. Or la difficulté, c'est précisément que cette mémoire ne soit qu'un halo, une énergie diffuse, et non un obstacle, un souvenir trop clair qui fait écran. Le fameux musée imaginaire, nous le portons tous dans notre tête, plus ou moins vaste, avec des compositions variables, mais toujours là, nourrissant chaque regard, chaque perception. Ce qu'il faut atteindre, c'est un point de légèreté, qui n'empêche plus rien, ni n'aveugle le geste. L'essentiel se trouve là, le drame aussi : que ça nage, que ça danse. Sinon, vous êtes un érudit, une grosse poche accumulatrice où l'eau stagne, vous devenez un baquet sans vie, qui se putréfie avec l'âge, ne lâchant à la surface que quelques bulles un peu molles, ploc ploc. Or ce que j'ai toujours admiré, chez Pontormo, chez quelques rares autres, c'est la folie. La force folle de la levée, du décollage, aller au fond de son travail, au fond de sa vie, pour y flotter dans l'oubli des autres, de leurs convenances, de leurs velléités. Vous comprenez ? C'est ça, l'essentiel : être *dans* sa peinture, la sienne, exclusive et dévoreuse. La mémoire en devient secondaire. Elle est de toute façon là. D'ailleurs, le maniérisme, à quoi ça conduit ? A A la représentation optimale ? A une réalité mieux rendue ? Pas du tout ! On le leur a assez reproché, à ces artistes, qu'à force de suivre des modèles, ça deviendrait artificiel. Et alors ? L'art devient art, l'art se livre à l'interrogation et à l'exploration de lui-même. C'est ça, être *dans* sa peinture : s'inventer des complications, des contradictions, et s'y confronter, y besogner. La voie s'ouvre, la voie se dévoie. Après quoi, le baroque ! »

Et il s'était emballé, irrésistiblement. Des noms, des titres. Tous ces tableaux logeaient dans sa tête, avec précision. J'approchais de la saturation, groggy d'idées, de nouveautés. Nous en étions à Manet, il gesticulait pour appuyer ses mots. La tache ! La couleur ! Dans mon programme, les Impressionnistes, le XIXe siècle, ça viendrait plus tard, beaucoup plus tard, vers la fin, quand je commencerais à penser, à entrevoir les liaisons et les réseaux. Pour l'instant c'était prématuré, je n'aurais su que faire de ces parallèles, de ces grandes parenthèses qu'il ouvrait pour les mettre en écho, Poussin, le Bernin, Tiepolo, Goya, Delacroix, je n'écoutais plus du tout, lui adressant simplement quelques signes d'assentiment ou d'étonnement, pour qu'il ne s'aperçoive pas de ma distraction, qu'il continue surtout, Cézanne, encore Manet, sa voix me protégeait des questions. C'était au tour des écrivains, un défilé étourdissant. Des copistes eux aussi, avec leur folie propre qui venait s'y insinuer, et innover. La manipulation des mots, un dépassement de la technique par la technique, hypotyposes, anacoluthes. Dans les propos de Robert, il y avait tant de termes inconnus, imprégnés de mystère, de fraîcheur, et des allusions, des références, qui s'enchaînaient avec harmonie.

Nous étions arrivés, enfin. Il devait avoir son compte, le vieux, après une si longue trotte. Je l'avais quitté brusquement, impatient d'aller déverser ce butin providentiel dans ma machine, pour me soulager.

V

« Ton vieux cinglé a téléphoné. Il voudrait te voir, ce soir. Si tu pouvais passer chez lui, après huit heures, mais avant minuit. Le mieux serait huit heures. » C'était un lundi. Mattilda semblait exaspérée. Robert, son savoir, mes classements. Que lui resterait-il ? Si je ne l'aimais plus, il fallait le dire, ça lui ferait probablement moins mal que de me voir fuir sans cesse, lui échapper, absent ou épuisé. Pour mon vieillard, je trouvais le temps ; je lui abandonnais volontiers des journées de travail. Elle, plus rien, juste le samedi après-midi, et le dimanche. Mais jusqu'à quand ?

Lorsqu'elle s'énervait, Mattilda ne réussissait plus à masquer une tristesse qui débordait la sévérité momentanée de ses yeux, qui cassait régulièrement sa voix. Notre sexualité précipitée l'inquiétait. Elle aurait aimé tout le contraire, opérer lentement et savamment dans le plaisir, en combiner les rythmes, les postures, aller au fond, bien au fond de l'acte. Alors elle prenait ça, ces miettes d'amour, faute de mieux, dans le silence de sa désillusion.

Je lui avais expliqué je ne sais combien de fois que ça ne durerait pas, après nous profitericns de la vie, nous compenserions, mais pour l'instant j'avais besoin de son aide plutôt que de ses reproches, il fallait accepter quelques sacrifices. En fait, ce qui l'avait mise hors d'elle, Mattilda, c'était le jour où nous avions voulu aller visiter cette abbaye, avec Robert. Je m'étais levé sans broncher, sans plainte, tandis que pour faire un tour avec elle, ou pour partir en vacances, ou l'accompagner à la faculté, je faisais un tas d'histoires, et refusais un réveil trop matinal. Elle avait le sentiment d'une agression, et elle lui en voulait, au vieux, une espèce de jalousie sourde, sur des petites choses. Un rien la détruisait. Elle n'avait pourtant aucune raison de détester Robert, elle ne le connaissait pas, sinon de l'avoir entendu par téléphone. C'était vrai qu'il était un peu cassant, avec sa voix imposante, il parlait trop vite, trop fort, on n'arrivait pas à répondre, il ne laissait pas de place à son interlocuteur. Pour qui se prenait-il ? Et cette façon de donner des ordres en laissant l'apparence du choix !

Mattilda avait fini par s'emporter contre moi. Ce n'était pas dans ses habitudes. Un caractère de chien battu, accumulant ses peines, ne luttant que par quelques phrases résignées, ne luttant même pas. La réalité lui était trop lourde à porter. Les rêves convenaient mieux, elle s'y sentait à l'abri. Alors elle dormait beaucoup, elle aimait tellement dormir, se réfugier dans un monde plus léger, plus tendre. Cela m'avait beaucoup frappé les premières nuits que nous avions passées ensemble, elle les prolongeait en d'interminables matinées, je m'emparais une dernière fois de son corps moite de songes, dans l'air saturé de dessous les draps, respirant à pleins poumons la chaleur de ses aisselles pas rasées mais entretenues, taillées régulièrement. Ou de son pubis, fourni, sombre. Depuis, le rythme avait baissé, et l'intensité.

VI

« Ainsi j'ai pu vous arracher à vos machines, et à votre petite amie, qui doit me maudire ! Le ton de sa voix... Pourtant, ça vous fait du bien de sortir, de vous aérer ! J'ose espérer que vous êtes venu à pied... Plus d'autobus, jamais ! Et le taxi, ce n'est pas encore dans vos moyens... » Surtout, ce n'était pas dans mes principes, qui valaient bien les siens. « Ne protestez pas, j'imagine combien peut gagner un employé non qualifié à mi-temps ou quart temps, de la bricole, juste de quoi payer votre matériel et de maigres études. » Précisément, ma situation pouvait évoluer. Cette proposition dont il m'avait parlé à demimot, lors de notre première rencontre... Il y avait repensé. L'obstination que je mettais à construire un savoir, mon esprit de méthode, l'avaient séduit. Enfin... pourraient lui être utiles. Je deviendrais une sorte de secrétaire, pour gérer sa mémoire. Une partie du moins. Car je n'aurais pas accès à la bibliothèque, c'eût été sacrilège.

« Vous vous rappelez ce que je pense des bibliothèques *publiques*... Très exactement comme on parle de filles publiques... C'est qu'il y a foule au portillon ! Les soi-disant professionnels du savoir, vieux érudits congestionnés, étudiants blafards en préparation de thèse, combien de snobs aussi, venus se faire voir dans les hauts lieux de l'institution scripturaire, exhibant leur carte de fidèles. Tous sont persuadés d'être liés, reliés par le savoir, par le catalogue raisonné des surfaces imprimées. Des vies entières consommées dans l'ombre triste de cette mascarade. *Credo ! Credo !* Et la messe continue, à bientôt le *Gloria.* Car ils y croient, veulent y croire. Sauf les bibliothécaires bien sûr, pour la bonne raison que ces derniers détestent les livres ! Ils sont les maîtres du jeu, les démons des coulisses. Aucun ne vous l'avouera, mais c'est la condition du métier. Le livre, ou le partage ! Ils ont choisi le partage, et tous les moyens leur sont bons, prostitution intensifiée pour soulager les queues d'attente. Ils inaugureront sous peu la banque mondiale instantanée du texte, ou mieux la banque mondiale instantanée généralisée. A vos claviers ! Un kilo de Stendhal, une livre de caviar et une autre de Racine ! Non plus le livre mais la livre, quantification égalisation des marchandises. Et quelques francs de pain, deux yens de Boulez, des dollars de dollars, sans parler de la livre sterling, de la lire italienne ! Tout est prêt pour la confusion globale. Mais cette consommation courante, galopante même, oublie l'opération délicate qui consiste à s'approprier un livre, à le recouvrir de soi, lentement, durablement, comme d'une pellicule de vie qui viendrait le singulariser, lui conférer un supplément d'âme. »

Il m'avait invité à le suivre, jusque dans un

vaste salon attenant à celui où il m'avait reçu la première fois, avec pour seuls meubles une grande table ronde en noyer, quelques chaises dépareillées, et une bergère élégante, recouverte d'un tissu damassé bordeaux. Des centaines de mètres de livres recouvraient les parois, sans trêve. C'était sa bibliothèque, des milliers de volumes, certains sur double rangée. La lumière, calme, d'un lampadaire au frêle pied couronné d'une demi-lune en albâtre, éclairait la pièce entière, mais semblait flétrie par une odeur lourde, cette puanteur collante qui enveloppait jusqu'à son corps et dont je ne parvenais plus à me dégager. Robert avait hésité, m'avait subrepticement observé du coin de l'œil, puis il s'était lancé, quelques phrases brèves, des silences, tout en faisant le tour du salon.

Comment classer une bibliothèque sans tomber dans la vulgarité ? Il avait longtemps cherché la solution, avec la règle préalable que la collection devait tenir dans une seule pièce. Les premiers regroupements s'étaient effectués en fonction du matériau de couverture, cuirs, papiers cartonnés ou glacés, puis selon le type de la reliure, à plat, bombée, innervée. Des plages uniformes ou subtilement nuancées se constituaient, qu'il s'agissait de combiner avec harmonie sur l'ensemble de la paroi. Cependant, une nouvelle maison d'édition, une collection naissante, le moindre changement de présentation, obligeaient à créneler ce tableau si patiemment composé. Il aurait pu les faire relier, ces nouveaux venus, les travestir. Il aurait aussi pu envisager des achats massifs pour constituer une étendue homogène, plus facile à intégrer. Mais l'exigence de sélection ? « J'en arrivais à ne pas acheter certains livres, et donc à ne pas les lire, par simple peur de ne pouvoir les ranger, ou de devoir sacrifier tel morceau de mon tableau auquel je tenais particulièrement. »

Une deuxième phase l'avait conduit à procéder par genres et par siècles, conjointement. Un peu comme moi pour la mémoire. Mais il avait vite, aux siècles, substitué des périodes plus fines et mobiles, permettant une découpe plus nuancée. Malgré cela, de nombreux cas demeuraient isolés, soit issus d'un temps peu représenté, soit trop novateurs pour ne pas s'associer plus étroitement à leurs successeurs qu'à leurs contemporains. Quant aux genres, il n'en parlait pas, la moindre attribution entraînait le sentiment d'un coup de force, ou d'une trahison, la plupart des textes débordaient les modèles, et suscitaient un malaise que les siècles récents accentuaient encore, le nôtre en particulier.

Cette fois, Robert baignait pleinement dans son discours, très affairé. Il scrutait divers pans de la bibliothèque, en indiquait d'autres, sortait quelques volumes à titre d'illustration, s'y plongeait, m'oubliait à moitié, puis souriait, et repartait, avec des hochements de tête. « Le recours à des critères parfaitement arbitraires a ensuite motivé divers classements, de plus en plus absurdes. Pendant des années, je n'ai cessé de les remanier, de les perfectionner. » Au départ, c'était surtout une variation alphabétique. A l'intérieur de chaque maison d'édition par exemple, avec l'effet de révéler un nombre incroyable d'incongruités. Ou appliquée, toutes périodes confondues, aux prénoms des auteurs. Mais ceux-ci en cas de pseudonymie, ou leurs parents plus souvent, ne faisaient pas preuve d'une grande originalité. L'énergie onomastique semblait s'être épuisée dans les patronymes. Combien d'Alain, d'André, de Claude ou Michel, de Pierre, pour un seul Donatien Alphonse François ? Tout était là, résumé, Sade et les maussades ! Il riait. « Quels que soient les critères, ce sont en définitive des masses qu'ils révèlent, la loi grégaire du monde. Prenez les papiers. Chaque texte ne devrait-il pas reposer sur celui qui lui sied au mieux ? Lombard ou bombycin, Whatman ou vélin ; couché, doré ; indien ou de Chine ; du Japon ou de Hollande. Et Royal, et Petit Soleil, et Grand aigle, Grand cornet, Double cloche. Mais dès la moitié du XIXe siècle, ça se gâte, introduction de la pâte à bois, papier *destiné* à disparaître, la mort insinuée dans les pages, la mort comme support du texte ! C'est alors le vergé teinté qui exerce sa domination, puis le Bouffant, terrible, vorace, il porte bien son nom celui-là, monstre polymorphe : condat 482, skoura, Odéon, et plumes, et blanc, ivoiré, mais toujours du Bouffant, à en faire une indigestion ! »

Les caractères ? Guère mieux ! Pourtant, rien que les noms... Diamant et Perle, Nonpareille, Parangon. Et Mignonne, et Gaillarde. Petit Romain, Cicéro, Saint-Augustin. Sans compter le Double trismégiste, magnifique, et surtout, admirable époque, les *caractères de civilité,* si proches de l'écriture manuelle, élégants et coulants. Mais là aussi quelques arrogances modernes, envahissant le marché, avaient détruit fantaisie et distinction.

En fait, Robert avait laissé mûrir en lui l'obsession de cacher le principe de son classement, pour bien se démarquer de toute idée ou tentation de partage. Le nombre de mots composant un titre, leurs genre et longueur, lui avaient inspiré quantité de grilles, esquissées sur papier, précisées, améliorées, le plus souvent abandonnées. Son imagination ne tarissait pas d'inventions et de combinaisons plus sophistiquées les unes que les autres. Pendant un été entier, il y avait une dizaine d'années de cela, il avait vécu dans l'heureuse et clandestine fraîcheur de la pièce obscurcie, à réaliser une partition en deux temps. D'abord le nombre de chapitres composant les différents livres organisait des ensembles disposés progressivement. Ensuite, chaque tronçon venait classé par ordre alphabétique, en fonction de la première lettre du pénultième chapitre, ou du dernier s'il n'y en avait qu'un. Splendide ! Indéchiffrable ! Il s'était, les premiers temps, enthousiasmé tel un enfant malicieux à insérer chaque nouvelle acquisition selon une évidence par lui seul perceptible. Mais le charme de l'arbitraire, son côté apaisant, renvoyaient à sa limite : un automatisme stérile, sans enracinement profond. « Une machine aurait pu le faire à ma place, un de vos ordinateurs par exemple. Cette seule idée a rapidement éteint l'euphorie. Ce qui manquait, c'est ce supplément d'âme dont je vous parlais. Je ne l'avais pas encore atteint. »

Il s'était tu, une minute ou deux, pour se concentrer, ou prendre un nouvel élan. Nous arrivions au cœur du problème. Son visage commençait à s'éclairer différemment, le regard enlevé, tourné par la passion. Par une certaine gêne aussi. « Chaque livre a laissé sa trace, son odeur, dans ma mémoire. Un souvenir, une époque. A ces classements dérisoires ou d'un amusement trop éphémère, j'ai donc préféré une disposition qui tînt compte uniquement des plaisirs ou irritations éprouvés lors de lectures successives. » Sur ce terrain-là, aucune informatique ne pouvait le concurrencer, rien ne pouvait le remplacer !

Une première étape l'avait amené à définir un enfer, un purgatoire, un paradis, et à leur assigner un secteur de la bibliothèque. Cette localisation s'était maintenue dans une longue indécision. Fallait-il vraiment réserver les rayons d'accès immédiat aux livres aimés ? Ne pouvait-on pas, au contraire, estimer que les joyaux devaient être soustraits à la souillure des regards courants, qu'ils exigeaient une sorte de retraite ? Les considérations d'âge avaient prévalu. Il lui deviendrait de plus en plus aventureux et coûteux de monter sur un escabeau ou de se pencher jusqu'à terre.

Robert avait en priorité relégué les *détestables* sur les étagères de la déconsidération, du mépris : éditions de luxe ; livres autrefois reçus et donc imposés, jamais digérés ; auteurs tombés en disgrâce. Difficilement atteignables, peu visibles, ils formaient une bordure d'ombre pourtant nécessaire à l'équilibre tendu de la collection, et dont il ne se serait en aucun cas départi. « Seuls les imbéciles penseraient à n'assembler que de beaux et bons livres ! »

Ensuite, par décantation des humeurs, d'autres répartitions s'étaient lentement opérées parmi les œuvres du purgatoire, éparpillées de longs mois sur le parquet, dans l'attente d'une disgrâce ou d'une rémission. Mais la tâche la plus délicate allait consister à répartir les *amours*. La petite moitié des rayons y seraient consacrés, d'accès facile puisqu'ils s'étageaient de la hauteur du bassin à la portée de main levée. Cela formerait une bande continue ou presque de plaisirs et d'émotions vives. Mais chaque livre devait encore trouver *sa* place, un climat particulier.

Certains volumes s'étaient tassés dans la pénombre, là où aucun rai, pas même estival, ni matinal, ne viendrait jamais les surprendre. D'autres, à l'inverse, étaient allés se vautrer dans la plus lourde lumière. Leur esprit ou celui de leur époque, une impression de lecture, les y avaient appelés, sans réplique possible, condamnés du même coup à voir jaunir sous peu l'écorce de leur candeur. La cheminée, seule interruption avec les portes et une fenêtre, allait déterminer une seconde étape du classement. Certains textes exigeaient de capiteuses chaleurs, l'enivrement des fumées, le crépitement des bois. Non qu'il s'agît d'une grossière analogie infernale : la chimie de ces associations défiait toute régularité. Elle représentait simplement les chatoiements paradoxaux de la vie, de *son* monde.

En réaction immédiate à ce courant de chaleur, des piles de livres impassibles ou sévères s'étaient réfugiées dans les zones plus fraîches, voires crues, proches de la chambre à coucher de Robert, jamais chauffée, quelles que fussent les températures extérieures. « Personne ne mourra jamais de froid dans son lit, nous sommes bien d'accord ! Au contraire, ça conserve. Et puis, ces histoires, qu'il fait de plus en plus froid, fin des saisons, plus de printemps, plus d'été, c'est un mythe, un oubli. C'était déjà aussi rigoureux lorsque j'étais enfant, mais la chair résistait mieux. Ce bavardage plaintif vise uniquement à masquer que le corps vieillit, devient frileux. Alors on dit, le Sud, autrefois, pas d'hiver. Mais si, une fois sur deux au moins, et le froid agressif, transperçant ; ce qui change, c'est qu'on s'en rend de mieux en mieux compte, avec l'âge, à cause des inconvénients, l'impraticabilité des routes, des chemins, et les articulations geignantes. » Avec ces détours, je m'y perdrais. Il parlait trop vite, Robert. Et nous étions loin d'avoir fini. Il avait songé à placer d'autres tas de livres selon qu'ils étaient hospitaliers, et alors courtoisement postés à l'entrée de la pièce ; ou qu'ils évoquaient, *lui* avaient évoqué la gourmandise, le péché, tous venant du coup s'agglutiner vers la cuisine, paresseux et buvards ; ou encore que, voisins de la chambre à coucher, calmes au dos de la porte, ils étaient destinés à accompagner les longues veilles ou les nuits trop blanches.

Des raffinements intérieurs seraient venus compliquer ces diverses catégories, mais un sursaut de précaution, de pudeur peut-être, avait empêché qu'il ne me les dévoilât. Il avait semblé regretter ses explications. Je demeurais un étranger, davantage de détails l'auraient trop exposé. Eussent-ils seulement été compréhensibles, ou transmissibles ?

Robert s'était, pour la bonne bouche, réservé les *trésors*. « Tous dans leur édition la plus vulgaire et économique, en format de poche si possible, pour qu'aucune satisfaction supplémentaire ne puisse diluer la violence des sensations éprouvées. Autant d'ébranlements, d'extases, qui ont scandé mon existence... » Ces modestes objets, enveloppes des plus inaltérables souvenirs, requéraient de la déférence. Il leur avait octroyé la fine bande des troisièmes étagères à partir du sol, imposant ainsi une révérence préalable à qui voulait s'emparer d'un de ces volumes. Les fameux *inclinés* ! Sa fierté à prononcer ce mot indiquait bien le prix qu'il leur accordait, dans une passion idolâtre.

C'est qu'il s'exprimait bien, le vieux. Il m'avait subjugué, avec des mots précieux qui semblaient lui venir sans effort, avec sa précision dans une syntaxe qui alternait les rythmes, les tensions, qui se modulait en fonction de ses attendrissements et de ses exaltations. Plus jamais depuis il n'avait retrouvé un pareil brio. Enfin je crois, parce qu'on s'y habitue, aux belles phrases, aux belles voix, aux discours déroutants. On y prend goût. On s'en lasse aussi, inévitablement.

L'ordre de la bibliothèque, depuis, avait sans cesse varié, imperceptiblement. Discrètes relégations, brusques promotions ; quelques très rares inversions. De subtils changements, dus à d'indévoilables températures mentales, pouvaient modifier le rapport singulier qu'il entretenait avec certains livres, mais jamais aucune réévaluation ne s'était propagée. Les modifications s'opéraient au coup par coup, et goutte à goutte. Un auteur devenait frileux, d'autres finissaient par éternuer dans les courants d'air. Tel livre étouffait dans l'interminable chaleur des feux d'hiver.

Ces mises à jour impliquaient un examen constant. Des relectures pouvaient les précipiter, ou la découverte d'inattendus échos ; certaines positions se compliquaient enfin par l'arrivée de nouveaux volumes. Le classement serait à jamais éphémère, précaire, c'est-à-dire imprégné de la vie même, ultime état de perfection en attendant le suivant. Seuls les *inclinés* ne bougeaient pas. La vérité immédiate de leur effet les avait rendus immuables ; rien ne pourrait démentir les sensations qui s'y accrochaient. C'était, à l'intérieur de la bibliothèque, une sorte de club très fermé. En près de huit ans d'un pareil classement, seule une faible dizaine de volumes était parvenue à grossir leurs rangs. Là se trouvait la colonne vertébrale de sa mémoire, l'extrême saveur de la collection. L'ordre de Robert, subtil, y régnait.

« Mais il y a le reste, livré le plus souvent au chaos. Documents entassés, classements inachevés ou à reprendre. » C'était là que je me révélerais utile. Un poste de secrétaire, ou mieux : de factotum, pour la révision et l'entretien de sa mémoire, de son savoir. Je travaillerais sur ordinateur si je le désirais, il m'en paierait un au besoin, que je pourrais aussi utiliser pour moi, et même un modèle assez sophistiqué. « Cela fait si longtemps que j'en ai le projet. A mon âge, qui n'est pas négligeable, j'aimerais me mettre à jour, faire le tri des choses accumulées, achever les mises en fiches, les découpages, les liaisons. Pour laisser quelque chose qui tienne debout, qui puisse me correspondre. » Je devais bien réfléchir, il demandait un engagement sérieux et ce ne serait pas tous les jours facile. Il faudrait être disponible. Oui, à totale disposition, même si en fin de compte, ça ferait peu d'heures, et me laisserait beaucoup de temps libre.

Voilà, nous pourrions en reparler. Il ne l'avait jamais proposé à personne. Il espérait qu'il n'aurait pas à regretter de m'avoir accordé sa confiance, c'était un peu précipité, mais il avait déjà suffisamment remis. La balle était dans mon camp.

VII

A mon retour, j'avais réveillé Mattilda, pour lui parler, ou simplement pour parler. Je n'avais pu placer un mot de toute la soirée, et avec tout ce que j'avais entendu, avec cette proposition si alléchante de Robert, ça faisait trop, il fallait en lester un peu. Elle n'aimait pas sortir ainsi de son sommeil, encore moins pour causer ou m'écouter, non, seulement pour faire l'amour, en silence, ces derniers temps c'étaient nos seules rencontres, dans l'échauffement muet des corps, avec des sueurs à moitié endormies. Je lui avais quand même raconté, cette bibliothèque, son classement très particulier, la possibilité de devenir le secrétaire du vieux, que je serais bien rétribué, il avait aussi parlé de m'offrir un ordinateur, celui que je voudrais, une occasion à ne pas rater, et j'aurais du temps libre, beaucoup. Des horaires souples. En plus, le savoir se trouverait à portée de main, je pourrais y puiser. Sous ses airs sévères, mon vieillard avait un fond généreux. Je n'étais rien à ses yeux, il m'accordait pourtant sa confiance. Je devais correspondre à ce qu'il cherchait. Peut-être à cause de Pontormo, le dernier Pontormo, ça l'avait ému de voir un jeune comme moi s'y intéresser.

J'essayais de la convaincre, Mattilda, parce que moi, j'avais déjà décidé, oui, mille fois oui, et tout de suite, une aubaine fantastique, je travaillerais pour Robert, à la source, dès que possible ! Elle avait paru préoccupée, toujours une crainte qui s'insinuait dans son regard, elle devait sentir que quelque chose ne tournait pas rond, que je lui échappais, que ce vieux nous apporterait des ennuis. Cette affaire devenait étrange, les événements se précipitaient. Elle aurait voulu me demander de refuser, au moins pouvais-je attendre, prendre le temps de la réflexion. Mais rien. Elle s'était rapprochée de moi, avec la moiteur légère de son sommeil, et c'était parti, doucement d'abord, des caresses, puis l'empoignade, et vite, de plus en plus vite, cascade d'instants, d'étreintes, par-devant, et derrière, affolée, tourneboulée, elle se réveillait dans l'amour, Mattilda, avec une force inattendue, une rage presque, d'impatience. Tout semblait devenir facile.

Après, elle serait à nouveau triste. Ces histoires de mémoire, de vieillard, elle n'aimait pas en entendre parler, ça empiétait sur son territoire, même si c'était loin d'elle, très loin, un autre monde, celui du passé, du futur aussi, mais pas le sien, parce que trop technique, et froid, et précis. Elle préférait le refuge de son imagination. J'aurais dû la comprendre, respecter ses craintes, les partager, mais au lieu de cela, bêtement, j'essayais de la convertir, de l'aspirer avec moi, de l'entraîner dans une voie qu'elle devinait sans issue. Et puis, la mémoire ne lui inspirait pas de désir. Que serait-elle venue faire avec moi, là ?

VIII

Robert avait appelé très vite, le lendemain je crois, ou le surlendemain, je ne savais plus où j'en étais, quel jour, quelle date, trop de choses s'agitaient autour de moi, sans que je puisse les trier, les classer. Il lui fallait une réponse. Peut-être avait-il quelqu'un d'autre en attente, un concurrent ? Il songeait depuis de longues années à engager un secrétaire. Pareille décision revêtait à ses yeux une importance extraordinaire et impliquait un changement notoire dans sa vie si parfaitement réglée. Il voulait donc être fixé. Derrière cette impatience, j'avais cru pouvoir lire une exaspération. Comment avais-je osé hésiter ?

Lorsque j'étais arrivé chez lui, dans son salon-bibliothèque agréablement chauffé contre les attaques renouvelées du froid, je n'avais pu balbutier que quelques mots, une ou deux phrases, encore engourdi du parcours à pied. Oui, probablement... Je n'avais pas vraiment eu le temps de réfléchir. Mais cela me plairait. Ce serait enthousiasmant, il pourrait toujours compter sur moi. Je n'osais pas lui avouer que ce qui m'avait le plus retenu, c'était la saleté étouffante des lieux, la crainte que tout ce qu'il y avait à ranger ne fût ainsi maculé d'odeurs, de graisse, terni de poussière. Mais la fascination pour sa mémoire avait eu tôt fait de triompher, ça je pouvais le lui dire. Cette capacité de liaison instantanée, ce savoir, là, à disposition, pas comme moi et mes disquettes. Robert incarnait ce que j'aurais voulu être, ou devenir ; ce qui me ferait à jamais défaut. A son service, je glanerais au passage, et puis il ne fallait pas désespérer d'un déclic, d'un miracle. Ah ! si j'avais pu l'imiter, trouver une même force de synthèse et de dépassement ! Il devait se sentir euphorique en permanence, avec ce qu'il détenait dans la tête, intact, prêt à sortir à tout moment, à faire irruption dans une pensée, une phrase, un bon mot. J'avais essayé de lui expliquer cela, avec ma maladresse habituelle. Il avait souri, de ma crispation, de mon admiration surtout.

En effet les choses n'étaient pas si simples. Et il espérait bien que le savoir ne se résumerait jamais à de la mécanique. Encore une de ces expressions ridicules et irréelles : mémoire artificielle ! La véritable mémoire ne s'inscrivait-elle pas dans le corps, dans les tressaillements et les alanguissements de la vie ? Chacun possédait donc la sienne propre, irrépétable, et pour cette raison, aucune machine ne pourrait jamais remplacer l'homme, inutile de se bercer d'illusions avec nos chimères technologiques. C'était tant mieux. Le chargement de passé qui nous habite pouvait se comparer à une construction, et si on ne le faisait pas tenir tout seul, si on ne mettait pas les idées et les souvenirs en mouvement, ça devenait vite un fardeau.

Tel était l'enjeu fondamental, et pour tous les temps : que ça tienne par le mouvement, que le lourd se fasse léger, volatile. Un défi permanent, déjà Brunelleschi... « Vous connaissez Brunelleschi ? La coupole de Florence, mamelle somptueuse, tout son génie résumé... Oui, la lettre B, déjà intégrée, n'est-ce pas ? Mais l'avez-vous bien étudié ? Car c'est un modèle éternel ! Réaliser une mémoire aussi ingénieuse et audacieuse, immense et aérienne, c'est le rêve, ça devrait être le rêve de chaque individu ! D'ailleurs, ce n'est pas une simple comparaison : Brunelleschi a lui-même fait œuvre de mémoire. Il a préparé son affaire pendant des années, à Rome, partout, il a accumulé un gigantesque savoir, il a observé, comparé, critiqué, réévalué, loin des intrigues et des honneurs. Comment coiffer l'immense octogone de la cathédrale ? Comment lancer une coupole un tant soit peu ample là-haut, et la faire tenir ? Certains avaient fini par proposer, pour la construire, et la soutenir, de remplir la base de terre qu'on aurait ensuite vidée, lorsque la clé de voûte eût été posée ! Mais outre la difficulté et les risques de l'opération, il aurait alors fallu d'énormes et coûteux contreforts, un dispositif excessivement gothique de compensation par arcs-boutants. On aurait aussi pu construire à la romaine, reprendre le modèle du Capitole, mais la mamelle eût singulièrement manqué de volume, et n'aurait pu devenir le point de référence de toute une cité. Alors lui, Brunelleschi, est arrivé avec un projet audacieux, pas du tout effrayé par les quarante et un mètres de diamètre du tambour. Il leur a dit qu'il la ferait monter, leur coupole, bien haut, plus haut qu'ils n'auraient pu espérer, avec une belle courbe fière et mère, quelque chose d'incroyablement précis, à double calotte, avec des ouvertures si parfaitement étudiées pour encaisser les variations saisonnières et d'ensoleillement que lorsqu'on a voulu en fermer quelques-unes pour restauration, le tout a commencé à se détériorer ! Et ce formidable élancement doux avec des moyens très limités ! Je vous laisse imaginer le plaisir des commanditaires, corporation de la laine, des Florentins, un goût viscéral de l'épargne... Il a donc effectué son érection mammaire avec un minimum d'échafaudages et une élégance extrême dans l'art de faire, une ingénierie mobile dont aujourd'hui encore on ne s'explique pas toutes les données. Lui-même n'avait rien voulu révéler du pourquoi et du comment lorsqu'il avait eu à gagner la confiance des experts devant ce projet assez déconcertant pour l'époque. Vous connaissez l'anecdote ? L'œuf de Colomb avant la lettre ! Comment fait-on tenir un œuf ? Grande énigme, simplement résolue en écrasant un de ses sommets sur la table ? C'est la légende, que Vasari s'empresse de rapporter, oubliant que Brunelleschi n'était pas du tout du genre à casser des œufs, ça lui eût paru sacrilège, un vil accommodement. Surtout, il reste le point central, ou son absence, à savoir que la coupole tient toute seule, sans clé de voûte. Eh bien, pour aller vite, je ne veux pas entrer dans des détails que vous ne pourriez sans doute pas comprendre, pour aller à l'essentiel donc, l'invention de génie, le coup de l'œuf à la Brunelleschi, c'est que pour le maintenir debout sans le casser, il suffit de le faire tourner sur lui-même, exactement comme une toupie. Voilà le mystère de la coupole, elle a été construite selon un principe infiniment complexe, une mise en place particulière des briques et pierres dégageant des forces giratoires telles que ça tient, formidablement, et sans aide ni tuteur ! »

La mémoire, une belle mémoire, c'était pareil, il fallait mettre les idées dans le mouvement giratoire de la pensée, les faire lever, voler, libérer l'énergie des souvenirs, des lectures, tout cela relié et imbriqué, solidairement, une effervescence ininterrompue, comme un soufflé qui ne devrait jamais s'effondrer. Oui, il suffisait de mettre les idées en mouvement pour que cela tienne tout seul. C'est à cela qu'il s'était toujours efforcé. Quant à moi, j'aurais bien dû m'inspirer de cette idée. Franchement, mes machines, mes programmes informatiques, cet archarnement accumulateur, constituaient un échafaudage disproportionné par rapport au butin espéré, ça manquait terriblement d'élégance. Comment ferais-je, le jour où je retirerais les tubulures et charpentes de soutien, puisqu'en fin de compte, on n'a jamais utilisé les échafaudages que pour les enlever, à un moment ou à un autre ? Ma clé de voûte, quand l'atteindrais-je, et avec quoi ? Je n'y avais jamais pensé. En fait je construisais, mais je ne savais pas où j'allais, je n'avais aucun but concret, sinon de savoir, tout savoir. Encore fallait-il des forces pour le soutenir, ce savoir. Il avait raison, le vieux, avec sa coupole. Lui avait réussi. Il semblait si léger dans sa tête, si effervescent.

Je me sentais tout à coup inutile, écrasé par l'absurdité de mes espoirs, tant de travail insensé. Au lieu d'élever une mémoire, je creusais ma tombe...

Heureusement Robert avait dévié la conversation sur son offre, dont il m'exposait les implications, un véritable catalogue de conditions et contraintes, j'avais vite perdu le fil. Ensuite, il avait plaisanté, des histoires d'esclave, de soumission, son fils, son fruit, me modeler, une domesticité éclairée en quelque sorte. « Mais non, bien sûr ! Il ne s'agira pas de cela », s'était-il repris avec un grand rire. En tous les cas, ça lui laisserait davantage de temps pour son travail, la grande œuvre de sa vie. Car il avait l'ambition de restaurer la mémoire du monde ! De la renflouer ! Il s'y consacrait depuis toujours, et ma collaboration à d'autres tâches le soulagerait. Si j'étais satisfait du salaire ? C'était très généreux de sa part. Je craignais seulement de ne pas me trouver à la hauteur, et de le décevoir.

Sur le perron d'entrée, comme je m'apprêtais à replonger dans le froid patiemment installé sur la ville, il avait ajouté : « Je vois bien que toute cette culture vous impressionne, et vous fait peur peut-être, autant qu'elle vous fascine. Mais vous savez, la seule mémoire que je voudrais vraiment posséder, que tout homme voudrait obtenir, ce serait celle du dernier instant, de l'ultime passage, qui permettrait de faire redéfiler sans cesse dans sa tête le spectacle de sa propre mort. En définitive, on ne vit que pour ça, on n'arrête pas d'imaginer comment ça sera. L'obsession la mieux partagée du monde ! Interrogez la littérature, innombrables simulations d'arrière-vie, d'outre-tombe, d'extra-post-terrestre. Et en peinture, ces derniers instants, saisis, ou déposés, le bilan juste avant la mort, ou la vision de la mort, cadavres et charniers interrogés avec rage, mais sans réponse. C'est toujours conjuguée au futur qu'on approche de sa mort, qu'on joue avec elle. On n'est même pas assuré de la vivre au présent, de la voir avant le néant, de voir la mort avant de ne plus voir, et de toute façon le présent ne suffirait pas, il n'a de sens que lorsqu'il devient passé, lorsqu'il passe, après, juste après. *Post mortem,* voilà la mémoire absolue, totale. N'oublions pas la formule de Masaccio, les paroles du squelette au-dessous de sa *Trinité,* petit message à nous délivré, d'un parfait cynisme. IO FU GIA QUEL CHE VOI SETE E QUEL CHISON VOI ACO SARETE. Je fus ce que vous êtes, vous serez ce que je suis ! Oui, Masaccio. Comme un pressentiment de sa vie trop brève. Un insupportable clin d'œil. Alors, si l'on y pense un peu, la mémoire comporte toujours un défaut, elle se soutient et se motive de ce défaut, en un combat désespéré pour intégrer la mort, et la vaincre ainsi, ou l'amadouer. C'est bien ce qu'évoque le terrible lavis de Géricault dont je vous parlais. Un condensé de la question... En attendant, tenez-vous prêt, je vous appellerai bientôt. Très bientôt. Il me reste quelques trous à combler, dans le passé, le mien surtout. Vous m'aiderez au moins à cela ! »

IX

Mattilda avait simplement souri lorsque je lui avais annoncé ma décision et son caractère immédiat. C'était mon problème, mais je ne viendrais pas me plaindre. J'avais voulu me lancer tête baissée, sans réfléchir, influençable et impulsif. Elle espérait simplement que ça ne me prendrait pas encore plus de temps. Toujours la crainte de rater sa vie, elle aurait voulu faire un enfant, devenir une jeune mère, très jeune, et les mois passaient vainement. Très bien, de se plonger dans le passé, mais ce n'était pas une raison pour oublier l'avenir... Un enfant ! Le leitmotiv ! Eh bien, il viendrait à son heure, nous n'allions quand même pas nous enfermer nuit et jour jusqu'à un résultat, mieux valait laisser faire la nature. De toute façon cette proposition du vieux tombait bien. Financièrement je gagnerais près du double. Cet aspect-là comptait aussi.

Elle aurait eu envie de parler, Mattilda, de m'interroger sur ce que je pensais, ressentais, sur ce que je cherchais, dans la vie, avec elle. Justement, je ne le savais pas, et je ne voulais pas remuer ces problèmes. Depuis la discussion avec Robert, j'avais l'impression de reposer sur du vide, de ne tenir qu'artificiellement. Tout allait finir par s'écrouler, je m'y étais mal pris, ces années passées à trimer pour rien, et Mattilda triste de son amour pour moi, un peu plus résignée chaque jour, s'éteignant par ma faute. Elle était belle, je l'aimais ; c'est à elle que j'aurais dû consacrer mon temps, on me le disait sans arrêt. Et j'avais accepté la proposition de Robert... Mais j'aurais du temps libre, il me l'avait assuré, ça laisserait de la place à l'imprévu, des vadrouilles, des petits voyages, grâce à nos moyens accrus. Mattilda aimait voyager, les étapes surtout, que je la prenne, et reprenne, dans de petites chambres d'hôtel, sur des draps blancs, rêches, qui avaient connu tant d'autres corps, d'autres couples, s'étaient rincés de tant de plaisirs, froissés d'innombrables étreintes. L'hôtel l'excitait, elle ne voulait plus s'arrêter, une nouvelle chambre chaque nuit, ne jamais s'incruster, découvrir sans cesse, une frénésie de sexe et de promenades, elle me voulait tout à elle, pas une minute concédée à mon travail.

Elle était trop opposée à ma mémoire, Mattilda, et même à toute forme de mémoire. Elle disait que ça sentait la mort. On ne peut pourtant pas vivre de futur seulement, il faut des racines, un ancrage. Elle se refusait à l'admettre. Et encore plus à s'y résoudre. Alors elle se méfiait, de moi, de nous. Du monde.

X

L'affaire n'avait pas traîné. Lorsque Robert prenait une décision, il voulait qu'elle devienne effective aussi vite que possible. Caractère imposant, impérieux. Dans un premier temps, j'avais trié des correspondances. Puis il avait fallu classer des piles de photographies en tout genre, souvenirs personnels, lieux, monuments, des peintures surtout, sous divers angles, avec des agrandissements de détails, il y avait parfois des dizaines de reproductions pour un même tableau. Un véritable puzzle que je devais reconstituer avant d'en coller les éléments sur de grandes pages blanches légèrement cartonnées. Pour varier, il me confiait aussi des microfilms, ou des photocopies à peine lisibles, floues, et des fiches, des notes, des carnets, il semblait avoir tout inscrit et fixé à jamais, non seulement dans sa tête si pleine, mais sur les matériaux les plus divers, pour parer à la ruine, pour conjurer l'oubli. En fin de journée, j'allais retrouver le vieux, dans son bureau ou sur la terrasse. Nous avions pris l'habitude d'une conversation, que j'amorçais par un rapport précis et concis, un état de l'avancement des travaux, je devais l'en tenir quotidiennement informé. Mais très vite il m'interrompait, pour enchaîner, ou dévier. Ce devait être sa passion, de parler, de raconter, les idées et les anecdotes lui venaient sans embarras, semblaient avancer d'elles-mêmes, dans leur juste expression. Je ne pouvais plus l'arrêter, ni le quitter, pris sous le double feu de sa voix et de son regard. Et Mattilda qui m'attendait, avec ses soucis, ses doutes. Seule. L'image de son abandon voilait mon attention, petite secousse musculaire de la culpabilité. Une odeur de caresses me poursuivait, m'habitait jusqu'au bout des ongles. J'écoutais le vieux, son inépuisable mémoire, mais je la sentais, elle. Je la voyais, la désirais.

Un soir, après quelques semaines de travail, Robert s'était montré particulièrement en forme, et m'avait retenu jusqu'au milieu de la nuit. Il sautait de phrase en phrase, de livre en livre, pour m'illustrer un rapprochement, soutenir une intuition. Je ne le suivais qu'au prix d'un harassant effort, rythme effréné, palpitation accélérée de la pensée, son discours se ramifiait à toute allure. Au bout d'un moment je l'avais même soupçonné de s'être lancé sans but, telle une machine infernale que rien n'arrêterait plus, la bibliothèque se déversant inexorablement. Peut-être s'endormirait-il dans un rêve de citations ? Ou la soif, la faim, le rappelleraient au présent ? Avec une pareille capacité d'enregistrement, il n'aurait vraiment pas eu besoin de ses fichiers et cahiers, de ses classements, c'était bien inutile. Il avait tout absorbé dans les plissures de son cerveau, buvard ivre et bavard.

Parfois je décrochais. Mais il avait repris

et développé sa fameuse théorie des chefs-d'œuvre disparus. La culture était un épais palimpseste spongieux, et à force de l'aplatir, on en perdrait la profondeur, la saveur. Aussi l'urgence, pendant qu'on pouvait encore voir de ses propres yeux quelques tableaux ou fresques, consulter quelques livres ou documents, avant qu'on ne dématérialise tout ça dans d'immenses collecteurs textuels visuels, l'urgence était de restituer ces peintures enfouies ou anéanties, par une écriture si parfaite et riche, hallucinatoire, qu'elle pût suggérer tous les effets de l'image, et remplacer cette dernière pour mieux l'éterniser. Dans la foulée, il aurait fallu traiter de même les créations en vie, y compris les contemporaines. Lui n'en aurait pas le temps. Sa tâche, la plus difficile et incertaine, le dévorait sans reste, d'autres siècles requéraient ses soins. Mais pour moi ce serait une mission exaltante ! Décrire, tout décrire, minutieusement, dans d'énormes volumes d'ekphrases, au cas où l'idée germerait, dans un futur plus ou moins proche, de détruire l'art, par aveuglement, iconoclasme fanatique, ou exigences du marché. Oui, sauvegarder, par le texte au moins. Une bouteille à la mer, pour les siècles à venir, et d'autres terres. Ne pouvait-on nourrir de vives craintes, avec nos technocraties du progrès, de la course en avant, où demain écrasait hier, pour oublier aujourd'hui ?

« Et les grands noms ne surnagent pas forcément ! Optimisme naïf. Du simple fait qu'ils ne sont pas tout de suite grands, et doivent vaincre l'opacité de leur temps. Prenez l'exemple de Piero della Francesca, que vous m'avez dit connaître. Eh bien, le grand, l'intouchable Piero était, peu après sa mort, considéré comme dépassé. On le remplaçait ! Toujours ce bon vieux Vasari à nous renseigner. Piero démodé ! Effarant, non ? Une première fois, c'est à Ferrare, dans le palais du duc Borgo, dont il orna plusieurs salles, que le duc Hercule l'Ancien détruira plus tard pour moderniser les lieux. Ensuite à Rome, deux compositions peintes à la requête du pape Nicolas V et bientôt démolies par Jules II afin que Raphaël peignît à la place la *Prison de Saint-Pierre* et le *Miracle de la messe de Bolsena.* N'y avait-il vraiment plus que ces murs à recouvrir ? On croit rêver, un mauvais cauchemar ! Et combien d'autres cycles détruits, à commencer par la *Vie de sainte Micheline* par Giotto, à Rimini, même si l'on doute aujourd'hui que cela fût véritablement de sa main. Ou les Masaccio ! Les Masolino ! Je me limite volontairement à la Renaissance, c'est la seule période que vous connaissiez un peu, mais croyez-moi, cette force de destruction parcourt l'histoire entière, les sacs et les révolutions n'en sont que les manifestations les plus spectaculaires. » Au catalogue de ces lacunes creusées dans notre mémoire, notre patrimoine, il convenait d'ajouter les œuvres non finies mais dont suffisamment de documents permettaient d'imaginer les sommets qu'elles eussent pu atteindre et figurer. « Vous voyez ces quatre énormes dossiers rouges ? Léonard bien entendu ! Non seulement ce qu'il n'a pas tout à fait achevé, mais aussi certains projets, grandioses, jamais réalisés, telle sa *Bataille d'Anghiari.* Je la tiens, celle-là, je la vois. Elle est *écrite* ! »

A écouter Robert, avec son débit accéléré, ses références accumulées, je n'y comprenais plus grand-chose, il me manquait des cases, des liens, je ne connaissais rien encore de tel ou tel artiste, ainsi Raphaël, que j'avais prévu sous S, Sanzio. Je m'énervais, angoisse de l'ignorance. Le doute m'assaillait. Peut-être n'étais-je pas destiné à savoir, à penser... Le passé m'était interdit, gommé, je devais trouver un autre temps, *mon* temps, qui me collerait bien à la peau. Le présent par exemple, une jouissance immédiate et insouciante de l'existence, avec Mattilda, pour elle, par elle. Ne devais-je pas lui donner raison, lorsqu'elle affirmait que tout le monde ne pouvait pas s'occuper du passé, qu'il fallait équilibrer, sinon la barque finirait par couler ? Mais je n'ai jamais pu me résoudre à n'être que moi, un ressort me poussait vers le haut, plus haut, trop haut.

Robert parlait. Je m'étais levé, pour me concentrer, pour fuir Mattilda. Pour oublier ses prêches. A nouveau les paroles du vieux m'entraînaient, des évocations, de longues citations, fragiles visions qu'il projetait dans sa tête. Il y prenait un plaisir évident. Parce qu'il était vraiment dedans, flottait dans sa mémoire, cherchait un écho, une articulation, récitait sans la moindre hésitation. Soudain il avait passé la vitesse supérieure. *Tempesta.* Impossible de se résigner à l'ignorance ! Sa vie ne tenait plus qu'à la soif maladive de compléter, d'achever le savoir, dans la plus large mesure de ses moyens. Il ne pouvait que m'esquisser ses recherches, car elles supposaient une érudition souvent très lourde dont je n'étais visiblement pas porteur.

Une des explorations les plus excitantes concernait ce que certains tableaux indiquent sans le représenter. Tel personnage qui porte sa plus ostensible attention vers un point, une zone, situés à l'extérieur du cadre. Ou, variante plus intéressante encore, à l'intérieur même de la scène, mais cachés. Comme dans le magnifique *Orphée et Eurydice* de Poussin, qu'il avait souvent admiré, et où la figure centrale, en léger retrait, découvre avec effroi ce qui pour nous se trouve derrière une pierre et par conséquent soustrait à notre connaissance. « Peut-on vivre sans essayer de deviner, d'imaginer ce qu'il y a là, secrètement tapi, et qui déclenche pareille peur ? L'histoire de la peinture est remplie de provocations de ce genre, coquines à l'occasion, songez à Rembrandt, graveleuses gravures ! Ce sont donc les problèmes qu'il faut résoudre, ou du moins poser, mais au lieu de cela chacun se baigne dans un aveuglement commode, et fait mine de rien ! » Il avait poursuivi son inventaire d'aberrations et d'énigmes, qu'il dépliait fébrilement dans sa tête. « La littérature aussi ! Je ne m'y attarderai pas, mais vous êtes-vous une seule fois rendu compte que la vérité d'Octave de Malivert se trouve dans la lettre finale qu'il écrit à sa délicieuse Armance, et que Stendhal, le cruel Stendhal, se garde bien de nous dévoiler ? Moi, lorsque j'ai lu ce roman pour la première fois, adolescent, je n'ai pas pu dormir pendant plusieurs jours, obsédé par cette trop évidente lacune. Et depuis, je la rédige, cette lettre, je la perfectionne, au gré d'enquêtes et de recherches. On finira bien par l'insérer dans de futures éditions savantes, sous la rubrique “ apocryphes ”, comme pour tout texte un tant soit peu sacré ! »

Il était vraiment bizarre, le vieux, et il me faisait peur. Avec de telles idées, l'ampleur de ma tâche augmentait sans plus de limites. Son obsession, c'était l'insu. Evidemment, puisque lui, il savait déjà ! Il connaissait le reste, sans défaut. Mais moi, en le suivant sur ce terrain bourbeux et fantomatique, je risquais de me perdre dans les sables sans avoir aperçu la mer. Avant de connaître l'improbable, la *dérobée* disait-il, je devais me concentrer sur ce qu'il y avait à voir, à lire, à apprendre, *directement*. En même temps, j'étais émerveillé par la culture de ce vieillard, sa curiosité sans frein. Inépuisable source ! Je le regardais bouche bée, et j'essayais de me représenter le foisonnement, l'ébullition que contenait sa tête large, à la peau lézardée mais étanche, bien étanche.

Brusquement Robert s'était arrêté. Et m'avait fixé. Son visage exprimait la fraîcheur, une jeunesse en partie retrouvée ; la fatigue aussi, inquiète. « Ouais, une nouvelle fois la mémoire vous épate. Vous vous obstinez à n'y voir que l'encyclopédie, les prodiges de la connaissance connectée, de l'intelligence informée. Pour un peu, on s'en ferait l'image d'un bonheur absolu. Et puis c'est prestigieux, le savoir, aujourd'hui plus que jamais, érudits à succès lancés par la chambre d'écho médiatique, archives à toutes les sauces romanesques ou putanesques, et ça marche, grosses ficelles du génie prévu prédit précuit. On en déduit que c'est pratique, et précieux, rentable, tant de science engrangée. Un enchantement. Mais c'est oublier la lutte, les efforts consentis pour arracher le texte de la page, l'avaler, le vampiriser en douce, sans négliger de le faire tourner, de l'activer, sinon il deviendrait lettre morte. Des journées, des années d'isolement et d'étude à l'écart des plaisirs, dans l'oubli des chairs, des odeurs. Nul autre paysage que des pans de bibliothèque. Une accumulation lente, obstinée. Et cet abandon de la vie, du monde, pour finir par y revenir quand même, immanquablement, mais sans ses propres yeux alors, ni ses propres sentiments, non, un retour contaminé, à ne plus savoir qui voit, qui parle, qui pense, parce que vous avez trop lu, et que ça fait écran. » C'était aussi ça, surtout ça, l'érudition, la vraie. Un cheminement aride.

« Encore, s'il n'y avait que les livres, on s'en accommoderait, les fulgurations parviendraient à cacher ou à reléguer le labeur d'arrière-plan, les innombrables volumes d'ennui. Au moins, on choisit, on construit, c'est la partie coupole de l'édifice. Vous ne considérez que cet aspect de la mémoire : le savoir, la culture. Mais il y a aussi la vie, ce qu'il en reste, ou celle qui a précédé la studieuse retraite. Beaucoup plus difficile à manier, intraitable à sa façon. La douleur s'y inscrit en dominante, on ne peut pas trier, ni choisir, les événements sont là, trop là, ils s'imposent, pour aujourd'hui, pour toujours, impossible de s'en débarrasser. Il y a des fardeaux encombrants, des ombres vastes, lourdes, qui vous taraudent. Pas seulement les grandes tragédies survenues aux hommes, au siècle, dans leur folie. Cela, on peut le partager, le répartir, on apprend à vivre avec, à regarder en face les faits les plus abominables quand ils participent de notre histoire. Par contre les petites saloperies, les lâchetés sordides, les misères sourdes, dont on a été acteur, ou victime, ou simplement témoin, dont on aurait dû témoigner, sans jamais en trouver l'énergie, ou le temps, sans jamais être assuré d'une écoute ; les grises mines un peu fadasses d'une existence, les bassesses auxquelles on s'habitue sans s'y résoudre pourtant, cette honte ou ces gênes qu'on cache sous les paupières, voilà la pourriture de la mémoire, les égouts qu'on ne peut percevoir ni peut-être imaginer de l'extérieur, mais dont les relents inoubliables, irrespirables, font tourner la tête à force de les transporter. Croyez-moi, mon jeune ami, la seule mémoire véritablement belle ne pourrait être que sélective, purgée de ses miasmes. Malheureusement, il n'y a aucun canal d'évacuation, pas de sortie pour les purulences. Il faudrait inventer cela, encourager un chirurgien habile et précis, opérer une réforme physiologique, consacrer l'oreille, ou les deux, ou le nez, à l'expulsion des mauvaises parts, des déchets fétides. Mais nous ne faisons au contraire qu'aspirer davantage, ingurgiter, stocker, engouffrer, comme si la tête, ou les sentiments, ne comportaient pas eux aussi leurs excréments, leurs besoins. Le drame, notre drame, vient de ce déséquilibre, de ce sens unique d'absorption qui conduit aux boursouflures du dégoût, aux enflures du déclin. Et ça ne pourra qu'empirer, chaque jour un peu plus de mémoire, de savoir. Il faudrait apprendre, ou réapprendre, à sélectionner. Voilà une solution d'avenir, pouvoir mettre un peu d'ordre dans sa tête, y vaporiser les lâchetés, y alléger les hontes ou les rancœurs ! Evacuer les fautes, mes fautes. »

Je n'avais pu retenir une protestation. Sa mémoire, avec le savoir qu'elle charriait, qu'il détenait ! Un irremplaçable privilège... Les tristesses s'en trouvaient compensées, non ? « Mais je ne détiens rien, c'est du vent ! Je souffle, j'éternue, et voilà, il ne reste rien, de l'air, frappé, consterné, enchanté, mais toujours de l'air ! On passe sa vie à accumuler, à construire des équilibres, à mettre en mouvement, mais finalement à quoi ça sert ? La tête enfle un peu, s'appesantit à en écraser les épaules, d'où quelques douloureuses sinuosités vertébrales. Beau résultat... D'ailleurs, prenez-la, je vous la donne volontiers, cette mémoire ! Faites-en ce que vous voudrez, votre malheur, votre illusion, c'est égal ! Dans cette affaire, contrairement à ce que vous imaginez, on ne détient rien, non, on est soi-même le détenu, pris dans le filet qu'on a tissé, inexorablement. Vous pensez encore à manger, à brouter, vous n'entrevoyez pas les tubes engorgés, les vaisseaux saturés, les collecteurs gavés, cet embouteillage sans issue, sans échappatoire, qui s'épaissit de jour en jour. Hémorragie simultanée des souvenirs et des connaissances, la grande bouillabaisse du passé confondu. A quand la digestion ? Parfois, on parle, on raconte, ça procure un peu d'espoir, on se prend à rêver d'une circulation relancée, aérée. Oui, ce serait beau, d'oublier un peu, de pouvoir trier. Sinon, la coupole finira par ne plus tourner, elle s'affaissera. Car le mouvement est très fragile.

Indispensable et fragile. C'est précisément cela qui, dans l'ordre du savoir, sépare la mémoire de l'archive : son mouvement, sa légèreté. Mais vous, en définitive, vous seriez peut-être un archiviste... »

XI

Le vieux demeurait très réservé quant à sa vie privée. Il se contentait de brèves allusions, ambiguës, à peine déchiffrables, comme si le passé n'avait été pour lui que celui des autres, des lectures, des images dont il s'environnait et se remplissait la tête. J'en avais appris davantage par l'épicier, en bas, après le parc. Il en connaissait, des histoires, et des rumeurs ! Robert s'y approvisionnait depuis son installation dans le quartier, ils avaient vieilli l'un pour l'autre au fil de ces emplettes matinales, toujours à la même heure, et les mêmes vivres pour chaque jour de la semaine. Ils auraient pu cesser de s'adresser la parole, d'échanger le moindre mot, tout était parfaitement programmé. Les seules variations, dont le vieux ne manquait jamais de se lamenter, résultaient des augmentations de prix et des jours fériés qui se déplaçaient dans la semaine ou le mois, d'année en année. Les incertitudes du calendrier. Surtout depuis cette maudite institution des « ponts », qui s'élargissaient ou s'allongeaient de plus en plus, à désespérer de toute régularité possible, cela obligeait à prévoir, à modifier les menus et les répartitions, sinon à improviser. Il supportait mal ces glissements, ce flottement qui rongeait son emploi du temps, qui ruinait sa règle de vie. A chaque fois il lui fallait plusieurs jours pour reprendre son rythme. « C'est un genre d'artiste, M. Robert, inutile de chercher à comprendre. Vous verrez, il n'est pas toujours commode. S'il y a une chose qui varie chez lui, c'est l'humeur. Pour le reste, il est stable, imperturbablement stable. »

J'avais bientôt eu droit à toute la vie du vieux. Il était allé en Afrique dans sa jeunesse, à plusieurs reprises, dans le Nord surtout, et dans le désert. Il devait y trouver le bonheur, s'étant toujours contenté de peu, malgré de confortables ressources. On le voyait alors épisodiquement, entre deux expéditions, bronzé et taciturne. Mais il ne racontait rien, ne parlait jamais de ses voyages, de son travail, si bien qu'on avait tout entendu à ce propos, les hypothèses les plus fantaisistes, coopérant, chercheur, sondeur, trafiquant même. Jusqu'au jour où il n'était plus reparti, retenu avant tout par la maladie. Une syphilis ou quelque chose du genre, on prétendait le savoir de source sûre, un médecin ou une infirmière d'hôpital, indiscrétion d'usage, ou calomnies, ou foutaises, mais je devais bien penser que dans un petit quartier de presque périphérie, un village en quelque sorte, tout se savait, sur tout le monde, et on exagérait facilement. Quoi qu'il en fût, les gens avaient depuis lors fait des gorges chaudes à ce sujet, et l'avaient tenu pour impuissant. On affirmait aussi que c'était pour cette raison qu'il avait grossi si vite, à vue d'œil.

Plus tard, il y avait bien quinze ans de cela,

il avait dû hériter, et toucher une assez forte somme d'argent. Il semblerait qu'il eût été marié, autrefois, à une femme de grande famille, ou de bourgeoisie fortunée. Il avait même eu un enfant d'elle, bien avant qu'il ne vînt s'établir ici, mais il s'était retrouvé seul après la guerre, une belle-famille de collaborateurs qui avait dû fuir, l'affaire était assez grave, et l'épouse avait suivi ses parents, l'avait abandonné, emportant le bébé avec elle. Il ne les avait plus jamais revus, il n'avait jamais voulu peut-être. En tous les cas, suite à ce supposé héritage, on avait remarqué des largesses dans ses achats, une amélioration vestimentaire, un train de vie sensiblement plus aisé. Il en avait profité pour se cloîtrer un peu plus encore, enfermé dans ses livres. Pendant une période de cinq ou six mois, il avait demandé à ce qu'on lui apportât ses provisions à domicile, qu'on devait simplement déposer sur le seuil après avoir sonné trois coups brefs. Il se faisait aussi livrer des publications commandées par téléphone auprès d'une vieille librairie du centre, qui connaissait probablement ses manies, ses exigences. Si bien qu'on ne l'avait pour ainsi dire pas revu cette année-là. Sa maladie avait pris une tournure assez sérieuse, un cas rare et compliqué, qui avait nécessité une longue convalescence, et des séjours en montagne.

Il s'était bien remis, en altitude. Mais les livres, la retraite, cela avait continué depuis. « Toujours sa sortie matinale, à heure fixe, avec des occupations précises et rigoureusement enchaînées, un programme minuté, pas une fois on ne l'aurait vu rentrer plus tard que treize heures. Un véritable chronomètre,

M. Robert, ça on peut le dire. Maniaque et solitaire. Jamais il ne recevait de visite, ou alors le soir, la nuit, car dans cette direction on ne voyait passer personne d'autre que des touristes, et ceux-là on les reconnaît ! » En revanche, il semblait entretenir une correspondance abondante, avec deux ou trois destinataires fixes, lettres tracées de son écriture minuscule et qui circulaient autour de son silence. Des paquets aussi, une infinité de paquets, que le vieux expédiait régulièrement. « Il devait y attacher une importance peu commune ! De sa retraite monacale, il chargeait expressément le facteur, avec de généreux pourboires, de lui poster ses envois. Même que ce dernier l'a cru fou, timbré quoi, en découvrant certaines adresses auxquelles il ne comprenait rien d'autre que l'indication de la ville. Pourtant il faut croire que ça arrivait à bon port, puisque rien n'a jamais été renvoyé à l'expéditeur. Le facteur appelait ça le génie des postes ! »

L'épicier m'aurait raconté mille anecdotes. Probablement en inventait-il une bonne part, brodait, ou confondait, mélangeait tout, comme moi d'ailleurs, parce qu'à la fin, entre ce que je devais acheter pour Mattilda, ce qu'il fallait apporter au vieux, et les salades du bonhomme, je ne m'y retrouvais plus, je ne savais plus de qui il parlait, ou s'il me parlait à moi. Il y avait toujours du monde dans son petit magasin, certains clients y allaient eux aussi de leur détail, ou de leur sarcasme. Moi, je souriais à chacun, j'acquiesçais, pour abréger. Des histoires à la Bibliothèque nationale, et de commerce de livres, de prostitution aussi, une nièce délurée, et cette famille ingrate, les expatriés, des salauds, qui devenaient à chaque nouvelle version plus nombreux, plus épouvantables, tout y passait, un véritable procès. Avec ce bruit dans la tête, ce surmenage d'informations et de commentaires, j'oubliais toujours quelque chose, le plus souvent pour Mattilda. Cela me gênait de demander, ou de réclamer. Il y avait trop de confusion. Alors elle se sentait abandonnée, Mattilda, elle croyait que je la négligeais, tout absorbé par mon vieillard, son savoir démesuré, ses recherches insensées. La situation n'était pas très favorable entre nous, un effort s'imposait. Je m'étais donc résigné à faire mes courses ailleurs, pour un temps. A l'abri, au calme.

Quant à Robert, sa tête était de toute évidence pleine de souvenirs, et pas tous drôles. Des crises, des épuisements. Des drames. Néanmoins cette mémoire, elle était enviable, au fond. Et tous ces textes qui lui passaient directement dans la voix, il ne fallait pas faire la fine bouche ! Depuis l'autre soir, je m'interrogeais sur son offre, de me la donner, que je pourrais en faire ce que je voudrais, à ma guise. Il avait eu l'air sérieux, et sincère. Or Robert, c'était un chic type, je pouvais compter sur lui. Il n'avait qu'une parole. Mais quand ? Quand l'obtiendrais-je ? Il n'en avait plus reparlé. Il n'en reparlerait sans doute jamais. Je devrais le relancer, au bon moment. C'était délicat, n'est-ce pas, je ne voulais pas avoir l'air trop intéressé. Il m'avait pourtant bien proposé de la prendre, sa mémoire, je n'avais pas rêvé ?

XII

A Robert, je servais autant de chauffeur que de secrétaire. Il possédait une « bagnole », pièce de collection à la mécanique délicate et complexe, quoique peu soignée. Mais il détestait conduire, et ne l'utilisait que rarement, une fois par an tout au plus, pour sa traditionnelle vadrouille pascale, ou quelque excursion motivée par une fresque, une architecture à revoir, toujours ses foutues recherches. Et à présent il semblait vouloir récupérer les kilomètres perdus, profiter enfin de cette grosse cylindrée molle et longue, si longue à chauffer le matin, tous ces litres d'huile à réveiller, les premières semaines surtout, vers la fin de l'hiver. Il me l'avait confiée, et téléphonait à toute heure, sans horaire, pour aller çà, retourner là, contrôler un détail, des coups de tête le plus souvent. Ou pour une commission. Bientôt il ne pourrait plus faire cent mètres à pied ! Le printemps, déjà très chaud, l'éprouvait, il se plaignait des articulations, et du souffle. Mais il abusait, m'appelant depuis quelque temps « mon petit », d'un ton paternel et patronal.

Mattilda devenait folle. Nous n'étions plus

chez nous, j'aurais pu avoir un peu de fierté, refuser un tel rapport avilissant ; il me prenait pour son domestique, sans même les égards habituellement consentis ! Puis elle repartait dans ses rêveries. Moi, depuis l'étrange discours de Robert, et sa proposition explicite de me transmettre sa mémoire, je m'interrogeais, si ce n'était pas là une solution idéale à mes problèmes. Et beaucoup plus économique que la technologie de pointe... Oui, qu'il me la donne, sa mémoire ! Qu'il me la lègue ! Il l'avait dit. Mais s'en souviendrait-il ? Parlait-il sérieusement ? Plusieurs fois j'avais voulu lui en toucher mot, revenir sur le sujet, obtenir une confirmation, une assurance, mais je n'arrivais pas à me décider.

Un matin, il avait appelé, vers neuf heures, pas tout à fait. Mattilda était déjà partie ; je me reposais encore d'une longue soirée passée à tapoter sur mon ordinateur, le nouveau, que Robert m'avait offert, très performant. Il voulait aller à la mer, revoir des lieux, une ville balnéaire qu'il avait bien connue dans son enfance, mesurer le temps écoulé, une petite concession à la nostalgie. J'avais promis à Mattilda que nous passerions l'après-midi ensemble, et la soirée, restaurant, cinéma, nos moyens améliorés nous le permettaient dorénavant. Elle devait s'en faire une fête. Il aurait fallu si peu pour la rendre heureuse, pour l'ensoleiller, mais une nouvelle fois ça dérapait : le projet du vieux, c'était un ordre bien sûr. J'avais opposé quelques craintes, la région où il voulait que je le conduise serait déjà infestée de touristes, ce n'était d'ailleurs plus un endroit très chic, invasion des petits-bourgeois en mal de promotion, et l'eau, dégueulasse, pas d'autre mot pour la qualifier, avec le pipi des enfants, partout... « Mais qui vous parle d'eau ? Je m'en fous ! Je ne me suis jamais baigné. Surtout pas dans l'eau salée... » Ce qui l'attirait ? L'air, l'idée de la mer, la beauté des vagues au printemps, quand elles se décrispent dans les premières chaleurs. Je n'avais pas osé refuser, j'avais renoncé à lui expliquer mon désarroi, la difficulté de ma situation depuis quelque temps. Et puis ce serait l'occasion de revenir à charge, pour sa mémoire.

Nous étions partis un peu à l'improviste. Et à l'insu de Mattilda. Ça lui ferait mal de ne pas me trouver, à son retour, comme nous en étions convenus, et davantage encore quand elle saurait que j'étais allé à la mer avec le vieux, elle le nommait ainsi elle aussi, avec un léger rictus de rejet. Oui, ça lui ferait un rude coup à Mattilda parce que je rechignais toujours à y aller, avec elle, et avec qui que ce fût, à la mer. Je n'aimais pas la mer, pas plus que la montagne. Peut-être par sentiment que la vie y était fausse, déréglée. J'avais besoin de sentir les gens travailler autour de moi pour me sentir à l'aise, et dispos. Les voir tous en vacances, ou tous servir les vacances, me déprimait à chaque coup. Malgré cela, j'obéissais lâchement au caprice insensé de Robert. Il avait proposé, en chemin, de rester deux jours, de prendre une chambre d'hôtel, déjà que nous y étions. Mais ce serait trop long !

Pour le déjeuner, nous avions poussé jusqu'à un restaurant qu'il connaissait autrefois. De la terrasse à flanc de colline, éloignée de la ville et des agitations, la vue était large, superbe, mais je n'avais pas faim. Il faisait trop chaud, et ces plats gastronomiques me fatiguaient à l'avance. Quels titres ! Pour ne pas décevoir Robert, j'avais commandé une assiette de la mer, ou du mareyeur, assez ravigotante. Mattilda ? La prévenir au moins... Le vin blanc m'avait quelque peu détendu, ou distrait. Après le repas, nous étions allés chercher de l'ombre, mais pas en agglomération, ni le vieux ni moi ne supportions les villes mortes, suspendues dans le calme du repos ou de la paresse. Finalement un point commun !

Nous avions trouvé un joli parc, boisé et gazouillant, près du port de plaisance. Il n'y avait personne, sinon un vieillard, et un autre, qui s'était assoupi sur son journal, sa casquette ne tenant que par miracle, un cheveu, une croûte peut-être, sur sa tête pendante. J'avais décidé de parler avant Robert, de me lancer tout de suite à l'eau, mais je ne savais comment formuler ma question, je pataugeais dans la langue. Et quand j'aurais à peu près trouvé les mots, il avait déjà commencé à m'entretenir de cette cité balnéaire, de son histoire, et ses souvenirs à lui, d'enfance, de jeune homme. Un lieu privilégié de villégiature pour tout ce qui comptait de plus distingué dans le Gotha, mais aussi, et selon un mélange admirablement réussi, pour les milieux artistes, chacun prolongeant ou renouvelant son séjour jusque dans le plein hiver, à l'abri assuré du froid. Il avait rencontré là quantité d'écrivains, de peintres, de sculpteurs surtout, et des hommes, des femmes du spectacle, dans l'euphorie de gloires passagères. Aujourd'hui, on n'y croisait plus que les archéologues de ce prestigieux passé.

Plus tard dans l'après-midi, avec la fraîcheur retrouvée, nous nous étions décidés à suivre la longue allée qui reliait les deux pinèdes délimitant le territoire proprement urbain. Pour la première fois, j'appréciais vaguement la mer. Cette promenade, séparée de la circulation et de ses déjections multiples par un rideau d'arbres et de talus fleuris, offrait un calme séduisant. Nous aurions facilement parcouru les cinq kilomètres, mais à mi-chemin environ, il avait voulu s'arrêter au bord d'un bassin, avec en son centre une fontaine aux jaillissements légers, variés, et une imposante sculpture, Neptune ou Saturne, qui la surplombait. Cela devait lui rappeler de belles heures, illusions d'hier ; il s'était tu, les yeux clos, pour se concentrer, pour s'absenter. Mieux valait respecter cette retraite. J'avais entrepris un tour flâneur du coin d'eau. Son subtil clapotis, lorsqu'on se tenait à son bord, semblait d'un volume sonore rigoureusement égal à celui des vagues venues s'essouffler sur la plage, cent mètres plus loin. Cela pour autant qu'on occupât la portion du quart de cercle du bassin orientée vers la plage : dans l'autre partie, le bruit de la fontaine dominait les échos de la mer, coupés par la masse statuaire.

Cette attention portée au décor des jours, je l'avais héritée de Robert, de ses premières « leçons » de vie. A le fréquenter, j'étais devenu plus sensible, plus réceptif à ce qui m'environnait, à la chimie des sons, des visions, aux surprises de l'odeur, à leur confusion que je m'employais à démêler, nommer, qualifier. Par désœuvrement. Peut-être aussi pour me reposer de l'écouter, pour échapper à son savoir, à son trop-plein de connaissances.

Moi, pour l'instant, je n'avais que le présent, ce présent anodin, à disposition ; il n'y avait que dans le présent que je pouvais parler, trouver des idées, des mots. Un peu de futur aussi, mais il me manquait alors l'imagination, ça se résumait à quelques désirs, des projets flous, jamais un scénario ou une pensée suivie, lancée résolument dans l'avenir. Pas comme Mattilda. Elle, on avait l'impression qu'elle ne vivait que dans le futur. Elle se racontait des histoires, dans son bain, ou en préparant à manger, avec des noms bizarres qu'elle inventait en souriant légèrement ; elles étaient belles ses histoires, très belles, ça donnait envie de lui faire des enfants, qu'elle puisse les raconter à quelqu'un qui les comprenne vraiment ; moi ça me plaisait mais aussi ça me dépassait, je n'arrivais jamais à les écouter jusqu'au bout. Par refus, pour une part. J'avais déjà tellement de retard en arrière, avec le passé, et cette incapacité à emmagasiner dans ma tête, ces efforts épuisants pour entasser dans la machine, alors il ne fallait pas obstruer les canaux, compliquer la récolte, avec des affaires de demain, ou d'ailleurs. Elle était un peu dans la lune, Mattilda, elle mélangeait tous les plans, tous les temps, c'était cela qui lui donnait de si beaux yeux, ils contenaient à la fois le voilé du rêve, la malice craintive de l'enfance, et la fraîcheur de la jeune femme. J'étais là, au bord de l'eau, sans elle ; c'était absurde. Je m'étais promis de lui parler, à mon retour ; ce jeu sonore entre la mer et le bassin, stéréophonie improvisée et parfaite, ça lui plairait, comme dans ces châteaux, ces baptistères aussi, et des églises, où le son glisse le long de la voûte du plafond et se répercute d'un angle à l'autre de la pièce, elle adorait, nous nous murmurions des obscénités, des propositions épouvantables, pendant que les autres visiteurs, touristes sérieux et dociles, se pâmaient devant les fresques programmées. Oui, je lui rapporterais mes observations, ça pourrait lui donner le début d'une belle fiction. Comme chez certains auteurs qu'elle adorait, des pages et des pages sur un bruit, un instantané, je n'avais jamais compris comment elle faisait pour arriver au bout, moi qui décrochais au premier paragraphe, d'ennui, d'impatience. En réalité, nous n'étions pas du même temps, nous n'allions pas dans la même direction, avec Mattilda, c'est là que résidaient les problèmes, souvent elle m'en voulait de ne pas la suivre, de ne pas l'accompagner dans ses divagations ; elle se plaignait aussi de ne pas me comprendre, que j'étais bizarre, trop renfermé, hors du monde, de la vraie vie. Malgré cela, nous ne pouvions pas nous passer l'un de l'autre. Nous nous rallongions notre présent dans les deux sens, enfin pas tout à fait, parce que nous échangions peu, de moins en moins. Elle prétendait pourtant que sans moi, elle s'égarait dans sa tête, ne trouvait plus le sens des choses, les entrées, les enchaînements.

Je finissais le tour du bassin ; dans le dernier tiers du cercle, une cinquantaine de mètres, j'avais préparé mes phrases, un paquet de mots. Une question. Il fallait que ça sorte, je la portais en moi depuis deux semaines bientôt, qui me rongeait l'esprit, habitait mes moindres pensées, et gestes. Avec les jours elle s'était précisée, amplifiée, elle avait réussi à s'imposer avec l'urgence d'une nécessité qui me poursuivrait jusqu'à ce que je la lance, la risque.

D'abord il n'avait pas bien compris. J'avais commencé alors que je me trouvais à cinq ou six pas de lui, pour être assuré de le précéder dans la parole. Sans doute était-il encore plongé dans ses souvenirs, les yeux ouverts et fixes, des amours, des anecdotes qui lui revenaient en tête, ou des lectures, c'était pour cela qu'il achetait des volumes de format poche, commodes pour le voyage, la promenade. Robert avait froncé les sourcils, et m'avait reçu d'un regard sans force, amorti, comme s'il n'avait pas bien réglé la lentille, comme si le diaphragme avait souffert d'une mauvaise obturation. J'avais lamentablement bafouillé, la meilleure attention de sa part n'eût pas suffi à redresser ce que j'avais formulé, cette requête dont je m'efforçais d'atténuer la brutalité, l'indécence. J'avais donc repris les premières phrases, confuses, timorées, maladroites, en une petite question précise et vive, sortie si rapidement que j'en avais moi-même été surpris. « Pourrai-je véritablement hériter de votre mémoire ? » Même pas : « Pourrai-je en hériter, de votre mémoire ? » Non. Construction parfaite, directe. Et plus rien. Un silence. Où voulais-je en venir ? Son visage entier exprimait la perplexité, il aurait peut-être cru à une plaisanterie. L'attente me paraissait insupportable, et cette demande qui restait suspendue entre nous, invisible et lourde. Je lui avais remémoré son offre, de me transmettre son savoir, que je pourrais en faire comme bon me paraissait, puisque cela me plaisait tant. Il devait se souvenir, non ? Mais oui, un soir que j'étais resté plus longtemps, jusqu'au milieu de la nuit. Les égouts, l'impossibilité d'un écoulement. Depuis j'y avais souvent songé. Evidemment ce ne serait pas pour l'immédiat ; qu'aurait-il fait sans sa mémoire ? Mais à sa mort, le problème se poserait en termes différents. Il ne pourrait plus rien y ajouter, ni l'utiliser, puisqu'il ne trouverait plus de lieu, de temps, d'où se souvenir. Sans être cynique, on pouvait y penser, et à ce moment-là, plutôt que de laisser s'effacer toute trace de sa vie, il pourrait me la léguer, me la confier au moins, en dépôt. Pour moi, quelle aubaine ! Et lui, ça le prolongerait un peu, si on y regardait bien. Il ne disparaîtrait pas vraiment. C'était d'ailleurs lui qui en avait eu l'idée, qui avait lancé cette proposition.

Robert m'avait regardé longuement, deux minutes, trois. Une éternité. Comme s'il avait cherché à se réveiller. A un certain moment, ses muscles maxillaires s'étaient tendus, et son regard aiguisé, deux secondes pas plus. Puis il s'était levé, avait longé le bassin, et arrivé au point où les murmures de la fontaine et de la mer s'égalaient, il s'était arrêté un bref instant. Le percevait-il, cet étrange équilibre ?

Il était revenu à pas lents. Peut-être les comptait-il, c'était son obsession de mesurer les distances qu'il parcourait, de même qu'il connaissait par cœur le nombre de marches de tous les escaliers qu'il pratiquait. Il devait vérifier si son souvenir était bon, soixante-quatre pas, ou soixante-sept depuis la dernière fois, qui sait ? Le problème, c'était qu'il marchait avec une peine croissante depuis quelques années à cause de ses difficultés rénales je crois, ou de son arthrose galopante, alors l'écartement des jambes avait pu varier, ça il le savait, il avait pu le constater autour de chez lui, le nombre des pas à effectuer pour une égale distance augmentait chaque semestre, chaque saison, ça l'obligerait à remettre inlassablement les comptes à jour. Il y lisait du même coup la mesure implacable du vieillissement, plus douloureuse que les souffrances physiques qui le tourmentaient sans cesse. Les escaliers, au contraire, le reposaient, le rassuraient, leur nombre demeurait fixe, même s'il ne pouvait plus enchaîner les pas depuis longtemps déjà, et mettait un temps fou à les gravir.

Il avait regardé autour du bassin, puis sur la place, le long de l'allée, c'était noir de monde à présent, ou plutôt toutes les couleurs, trop de couleurs, tous ces habits aux teintes vives, criardes, ce cocktail épicé, ça enivrait les yeux, qu'il disait, c'était lourd à regarder, indigeste. Ensuite il s'était rassis, songeur. Il m'aurait dit : « Drôle d'idée. » Quelques minutes s'étaient encore écoulées, on n'entendait plus les oiseaux, toute la ville semblait s'être donné rendez-vous sur le bord de mer, dans un compact brouhaha. Robert avait répété : « Drôle d'idée », en souriant franchement cette fois, mais toujours avec son air rêveur. Et tout à coup il s'était levé. Il fallait fuir la masse, se jeter dans les ruelles, ou gagner la campagne, nous reviendrions plus tard, sur la plage, lorsque le jour s'effondrerait, ça allait très vite à cette saison, et il n'y aurait plus personne.

Quand nous avions retrouvé le silence épais des faubourgs, quand nous avions recommencé à discuter, des heures de la journée, de leur lumière, d'horaires et autres banalités, eh bien je l'avais presque interrompu. À présent que je m'étais lancé le courage me venait, j'avais donc profité d'une sorte de pause pour le relancer, lui glisser : « Alors cet héritage... », sans vraiment donner le ton d'une question, intercalant en quelque sorte cette phrase dans son discours. Cela n'aurait pas dû le surprendre. Néanmoins il avait paru intrigué, quelque chose devait lui échapper. Peut-être ne me prenait-il pas au sérieux ? Il aurait oublié ses propos ? Il n'y aurait pas cru une seule seconde, simple boutade lancée en l'air ? Le vieux m'avait regardé à la dérobée, puis avait donné l'impression de chercher ses mots, ce qui était assez nouveau. Il réfléchissait ? Ou hésitait ? Après un long pâté de maisons silencieux, il m'avait déclaré brutalement, ou de façon indignée, qu'il ne pouvait pas me répondre, ici, dans ces conditions. Qu'est-ce que je croyais ? Aussi, je choisissais mal mes moments ! Il était venu pour se détendre, retrouver la saveur évanouie du passé, d'un passé que je ne pourrais jamais comprendre ; pour oublier le reste aussi. Et je le harcelais avec une histoire pas très gaie, inquiétante même. Il y penserait. Et me ferait savoir ! Tac ! Etrange dernière phrase, ambiguë. Qu'est-ce qu'il avait voulu dire au juste, avec son « faire savoir » ? Des mots qui m'avaient longtemps travaillé.

Le soir, nous avions mangé, mal, dans un restaurant désert. Ce n'était pas bon signe, ce calme, après les grappes précoces de touristes que nous avions vues défiler sur la baie. Et en effet, la cuisine était grasse, vulgaire. Mais lui, qui se prétendait un gourmet impitoyable, ne supportant pas de mal manger, s'était contenté d'une grimace en découvrant des plats trop cuits, des mélanges aberrants, et avait payé sans commentaire, absent ou indifférent. Repas ennuyeux. A peine avions-nous échangé trois phrases, et guère davantage de regards. Je ne savais à quoi m'en tenir. Une telle proposition, surtout dans ma reformulation prévenante, impliquait obligatoirement sa mort. Et cette seule idée, l'évocation de ce sinistre horizon, lui devenait de plus en plus insupportable au fil des années et des détériorations, petites frappes légères sur des parois qui se lézardent. Nous avions fini par retourner vers la mer, il ne faisait pas encore nuit, c'était l'heure des couples et des familles dans leur digestion babillarde. Quant aux touristes, ils étaient déjà parqués.

Au bout d'une heure, il n'y avait plus eu personne, même les oiseaux s'étaient tus. On n'entendait que les vagues, douces et lentes, somnolentes, le vent était tombé. Alors nous étions allés sur la plage, encore tiède ; le vieux espérait trouver des cailloux, des pierres, il en avait découvert d'insolites au fil de ses voyages, dans lesquels on retrouvait des paysages, ou des animaux, toutes sortes de figures, de formes géométriques complexes, raffinées. Des visages aussi, des masques, ou des écritures. Ces échos l'avaient toujours intéressé, prodiges du mimétisme naturel, et chaque fois qu'il se trouvait sur un littoral, ou à la montagne, il consacrait des heures, des journées, à la recherche de ces signes, une « mémoire minérale » selon son expression. Ainsi faisant, il s'était constitué une vaste collection, pleine d'énigmes. J'aurais l'occasion de l'admirer, bien qu'il en eût donné une bonne partie au musée des Arts et des Sciences, ou à celui des Sciences naturelles, je ne me souviens pas, nous n'y sommes de toute façon jamais allés. Il l'avait léguée parce qu'il n'avait plus trouvé le temps de s'en occuper, ni d'en profiter. Pour une fois, il avait fait une concession à l'idée de partage...

A propos des pierres, Robert avait dévoré d'innombrables livres, tout ce qui s'était publié d'important, jusqu'à des thèses de minéralogie qu'il avait dû consulter à l'Université. Mais rien ne l'avait convaincu. Il avait une conception bien à lui, une sorte de fiction scientifique, qu'il n'avait jamais dévoilée. Personne ne l'aurait cru, n'aurait fait l'effort de le comprendre, d'admettre. Faute de temps surtout. Il aurait fallu mettre en ordre, ventiler des paquets de fiches et notules en vrac. Peut-être me confierait-il cette tâche, plus tard...

Il s'était ensuite lancé dans une longue rêverie, à voix basse, certaines de ses paroles allaient se perdre dans le soupir des vagues. Toutes ces figures, ou gestes, ou portraits ou paysages pétrifiés, il les avait très vite considérés comme des regards fossilisés, des yeux dont aurait été éternisée la dernière vision. Et face à ma perplexité que l'ombre lourde du soir n'avait pu cacher, il s'était animé quelques secondes, avant de retrouver son murmure. Oui, ces pierres avaient été des yeux autrefois, et à leur façon elles témoignaient de la mort, ou plutôt de la vie parvenue à son extrémité. C'était une sensation dernière, un souffle recueilli ; là se trouvait la véritable, l'impossible mémoire, la seule qui l'intéressât, du fait que personne ne pourrait jamais l'écrire, ni même l'envisager. On s'obstinait à ne considérer que le cerveau, mais tout résidait dans ce dernier regard, pur présent sans futur, présent suspendu, maintenu. « Souvenez-vous de notre discussion, l'ultime instant, impossible à saisir... Eh bien, je pense que c'est la pierre qui s'en imprègne ! Croyez-moi, et vous comprendrez un jour, plus tard. » Lui, il avait percé le secret parce qu'il ne s'était pas contenté de rester en face des cailloux, à regarder, admirer, s'étonner d'un miracle ou d'un hasard. Non, il était entré *dans* la pierre, il en avait forcé le mystère ou l'enveloppe, il avait épousé sa vision, il avait vu par elle. Et il avait senti la douleur vibratoire du dernier passage, là déposée.

Son problème depuis lors, ou sa curiosité, consistait à prévoir, ou fantasmer, la matière dans laquelle s'évanouirait son propre regard final. Il m'avait déployé un éventail impressionnant de possibilités, aigue-marine, alabandine, améthyste, et chrysolithe et corindon, girasol, hématite, sanguine, tourmaline et zircon, excluant telles pierres pour leur excessive préciosité ou perfection, intensité ou dureté, telles autres parce que trop vulgaires et lâches dans leur texture, trop friables ou cassables, ou le pire de tout, communes et commerciales. La géode l'aurait tenté, il s'en était franchement épris, mais c'était l'œil davantage que la vision qui s'y retrouvait. « Entendons-nous, ma fascination porte sur l'ultime *image*, et la géode ne pourra la recueillir qu'imparfaitement, diffractée et disséminée en ses multiples facettes. La géode, ce serait l'œil, seulement l'œil. Dommage... »

Nous étions baignés d'une nuit sans lune,

seules ses paroles éclairaient un peu la plage, et ma tête. Il avait poursuivi l'énumération de ses choix successifs, de ses hésitations et patientes recherches, jusqu'à sa plus récente conviction, ancrée en lui depuis plus de dix ans : l'opale. Une merveille supérieure encore, c'eût été le lapis-lazuli. Indiscutablement. La pierre du ciel, azurée, compacte, des larmes divines. Mais je devais connaître sa valeur, matière extrêmement précieuse, au point que les peintres, à la Renaissance, allaient en récupérer la poudre bleue sur les fresques de leurs prédécesseurs, afin de la réutiliser à leur compte. « Quel destin ! Se faire gratter l'œil par les artistes de demain, risquer de voir ma dernière vision, la seule, disséminée ou pulvérisée ? L'histoire n'est faite que de retours, de destructions. Mieux vaut calculer ses risques ! » Au lapis-lazuli, il avait donc estimé sage de préférer l'opale, laquelle représentait davantage qu'une simple compensation. Outre la finesse de ses bigarrures versicolores, elle lui inspirait l'idée d'un voile pudique jeté sur l'image, cette transparence opaque qui assurerait une certaine discrétion à son éternité.

« Oui, l'opale, ce serait parfait. Quel raffinement, jusqu'au bout ! Malheureusement, je pourrais tout aussi bien tomber sur un minéral ingrat. Calcaire ou granit ! Ce serait moche, quand même. Ah ! si l'on pouvait choisir, ou exercer une certaine influence, réunir des conditions, un entourage, un climat. Mais non, impossible. Cruelle incertitude ! » Et tant mieux. Il ne fallait pas chercher à tout connaître, c'était une illusion coûteuse qui lui avait déjà fait perdre bien du temps. Robert avait commencé à rire, de plus en plus fort, tel un fou, par saccades, peut-être se moquait-il de moi, ou de lui, il aurait fini par pleurer ; ce n'était plus vraiment un rire, des cris plutôt, rauques, profonds. Mais brusquement il avait retrouvé son calme, en tous les cas il n'avait plus fait de bruit, et s'était accroupi, lentement, au prix d'un grand effort. Il se tenait le front d'une main en passant l'autre dans le sable. Je n'étais pas rassuré, seuls sur cette plage. Il faisait trop sombre, j'aurais voulu rentrer, retrouver un peu de lumière, et Mattilda, et la vie. J'aurais voulu penser à autre chose, oublier cette journée, oublier tout, effacer le vieux. J'avais l'impression d'être mal embarqué. Lui, il aurait aimé rester, ramasser des cailloux, des galets. Mais il n'y avait rien d'intéressant, on ne voyait pas suffisamment clair, ça ne valait pas la peine, j'avais refusé. Dormir là ? Prolonger jusqu'au lendemain ? Pas question ! Et Mattilda, alors ? Nous avions encore pris un café pour la route, j'avais sommeil, et lui n'aurait pas daigné conduire, surtout la nuit, les phares l'aveuglaient ; c'était moi qui désirais rentrer, je n'avais qu'à prendre le volant. Visiblement ma précipitation l'exaspérait. Il ne supportait pas l'impatience, et il tenait à me le faire sentir.

Pendant tout le voyage il n'avait pas sorti un mot, avec l'idée de me punir ainsi, de sanctionner ce qu'il devait considérer comme un caprice puéril. Ça ne me dérangeait pas vraiment. J'avais la tête remplie, saturée, j'essaierais bientôt de remettre un peu d'ordre, de retrouver un fil dans cette journée imprévue, et décisive. Lorsque les événements se précipitaient, je me sentais vite dépassé. Et par la suite j'éprouvais le besoin de récapituler, de remplir les trous. Mais il manquait toujours un mot, un lien. Une impression.

J'avais le cerveau en ébullition, sur cette route chargée de camions, je n'en voyais pas le bout. Au moins, j'avais pu placer ma question, liquider mon affaire, et mieux, la relancer. Avais-je bien fait ? Sa réaction m'avait paru bizarre, indécise. Mais je me sentais libéré d'un gros poids. Et Robert n'avait pas dit non. Je pourrais, les prochains jours, me consacrer à Mattilda, sans arrière-pensées.

Nous étions arrivés dans la nuit, il s'était endormi. Ou il avait réfléchi.

XIII

Mattilda, après cette trop longue escapade, ça n'avait pas été facile de la calmer, de lui faire retrouver confiance. Elle avait vraiment eu peur, imaginant mille accidents possibles, plausibles, puis suspectant une trahison, une fuite. Ne sachant enfin que penser, où chercher. Quand elle avait appris la raison de mon absence, quand je m'étais déchargé sur Robert, jouant les victimes, ça lui avait paru complètement fou, extravagant aussi par la façon dont je le lui avais raconté. Elle semblait n'en pas croire ses yeux, ni ses oreilles, et j'avais tout emmêlé, c'est-à-dire que ça venait tel que dans ma tête, un embrouillamini qu'elle m'avait fait répéter trois ou quatre fois. Ce qu'elle avait compris tout de suite, c'était que nous n'en finirions jamais avec ce vieux. Alors elle s'était presque effondrée. Elle n'avait pas crié, ni pleuré, non, elle aurait plutôt cherché l'explication, qu'est-ce que j'avais avec ce type, est-ce que je me rendais compte, des actes irresponsables, et je changeais, elle ne me reconnaissait plus.

Probablement se sentait-elle blessée, atteinte

au plus profond. Toujours Robert, son ombre, qui la dévoraient. Non qu'elle fût habituellement jalouse, tout au contraire, une espèce d'indifférence qui m'avait souvent énervé, que je ne pouvais m'empêcher d'interpréter comme un manque d'intérêt, ou d'amour vrai, ou de passion. C'était son caractère. Mais là, la situation se présentait de manière inattendue, elle n'avait jamais envisagé ce cas de figure, un vieillard qui lui grignoterait son temps avec moi, et elle s'était sentie exclue, ou impuissante à réagir comme il fallait. Quoiqu'elle eût d'emblée flairé le danger. Elle ne se contentait pas de m'écouter, lorsque je lui racontais mes journées ; elle se concentrait sur le ton que j'y mettais, et le rythme, le souffle. Elle avait très vite perçu une agitation, une gêne. De tout cela, elle m'en aurait parlé bien plus tard.

A la suite de cette fugue marine avec Robert, j'avais payé de ma personne, c'est le moins que l'on puisse dire. Comme si Mattilda avait voulu évaluer la sincérité de mon amour à ma résistance et à mes capacités physiques. Nous réglerions cela dans les draps ! Déjà que j'étais rentré fatigué, rompu, et avec tout ce désordre dans la tête, et avec ce nouvel emploi chez le vieux qui exigeait un gros effort, mais elle n'aurait rien voulu entendre, ni deviner, ni épargner, elle avait poussé à bout, jusqu'à me rejoindre à peu près dans l'épuisement, dans le sommeil.

Elle allait moins aux cours, depuis quelque temps, et passait de longues heures, interminables, sur un grand escabeau, devant la fenêtre, à rêver, à regarder les gens passer. Les jambes croisées, les mains refermées, légèrement inquiète dans l'oubli de ses soucis, de moi, elle contemplait le boulevard sans rien dire, sans rien voir peut-être, et j'avais sous les yeux, permanent, le spectacle de sa tristesse, de son désarroi. J'aurais dû l'aider, la secouer. Et lui expliquer, qu'elle s'exagérait les problèmes, qu'il n'y avait d'ailleurs pas de problème, c'était le début, beaucoup à faire, mais ça irait en diminuant, très vite, Robert me l'avait promis. Les mots ne me seraient cependant pas venus convenablement, j'aurais encore compliqué les choses avec des paroles confuses, maladroites. J'attendais que ça passe, elle aurait bientôt des examens à préparer, qui la rappelleraient à la réalité. En fait, elle était perdue dans ce futur trop grand pour elle, désemparée devant un présent insaisissable, et elle ne pouvait même plus compter sur moi. J'aurais au moins pu la conduire à la campagne, des excursions, des promenades, ou des visites d'églises, de musées, de ce que je voudrais, pourvu que... sortir, nous retrouver, ensemble. Je le lui promettais sans arrêt, et de bon cœur, mais pour le lendemain, et le lendemain encore. Elle était si belle, Mattilda. Je voulais essayer de la comprendre un peu mieux, et de lui parler avec les mots justes, délicatement. Pour cela, cependant, il aurait fallu être autre. Un autre.

XIV

Robert cherchait à m'embrigader, à me placer sous son aile. Expositions, musées, nous devions aller partout. Il m'emmenait aussi avec lui pour ses promenades, au marché où il rencontrait parfois un vieil ami de jeunesse, et dans des cafés, très différents les uns des autres, où il retrouvait les souvenirs des époques successives de sa vie. Une fois, une seule petite fois, il avait fait allusion à son mariage, à sa femme. Mais pas à son enfant. Jamais. Je n'avais pas insisté.

Cette compagnie constante, le rythme de notre nouvelle vie pleine d'images et de mots, dépassaient mes capacités d'ingestion. Je vivais dans une ivresse hagarde, incapable de suivre ses explications souvent abstraites, et encore plus d'apprécier par moi seul. Mais je m'étais engagé dans cette histoire, j'irais à son terme. D'autant que j'attendais une réponse de la part du vieux, une confirmation, pour notre affaire de mémoire, d'héritage. Peut-être aurais-je dû davantage insister sur le fait que je n'en voulais pas tout de suite, à sa mort seulement, ce serait assez tôt.

Il se révélait diablement éclectique, Robert, une curiosité insatiable qui l'amenait à parler de tout, avec feu, et force gestes. Non seulement d'art, de textes, mais de la vie aussi, sous ses aspects les plus quotidiens dont il maîtrisait étonnamment les codes, les clés. Je découvrais des mondes nouveaux, ne sachant comment réagir, n'arrivant pas à me détendre, à trouver la bonne disposition d'esprit. D'un côté cela ne faisait pas partie de mon programme, j'en étais resté au XVIe siècle, et je me concentrais sur la culture noble, celle qui comptait. Pas de place pour la banalité, la publicité, les décorations, les matériaux de construction, ou encore les jeux, il adorait les jeux le vieux. D'un autre côté je me disais que mon remplissage informatique n'aurait plus de sens si j'obtenais la mémoire de Robert, je pouvais donc me permettre quelques fantaisies, sans scrupules. Tout pouvait servir, rien n'était plus véritablement utile. La mémoire, la sienne, me viendrait à son heure, d'un coup. Et je me laissais aller à cette douce euphorie, avec un doute pourtant, puisqu'il ne m'avait toujours pas donné sa réponse. Sa bénédiction. Alors je le suivais. Nous passions parfois des heures, à pied, en voiture plus souvent, à errer, à circuler. La baguenaude, comme il disait. J'avais noté le mot dans un carnet, pour le retenir, et pour l'apprendre à Mattilda, je savais que ça lui plairait.

J'observais Robert. Il me prenait à témoin, de ses emportements, de ses admirations, de ses passions. Il en était vraiment arrivé à me faire participer à tout, même à ce que je détestais, ou croyais détester, sans d'ailleurs se préoccuper de mes goûts. Ainsi m'avait-il un jour, en milieu de semaine, annoncé sa décision que nous irions voir ensemble le match de football qui saisissait déjà toute la ville d'une fièvre partisane. Il n'était plus allé au stade depuis des années, l'occasion était excellente, pour se replonger dans une ambiance dont il vantait la folie, l'exubérance. Un dimanche ! Le jour de Mattilda, traditionnellement dévolu à des vadrouilles en campagne. Je sentais que ce serait impossible à expliquer, et impardonnable, de l'abandonner, son jour, son soleil dans la grisaille des semaines. J'en avais fait part à Robert. « Des dimanches, il y en a cinquante-deux dans l'année, pour une fois, elle fera sans vous, votre petite. Il faut vous affirmer, mon vieux, ne pas être esclave de cette fille, vous verrez, elle vous en estimera d'autant, pas sur le moment, bien entendu, mais plus tard. Et puis, vous n'avez pas l'âge des habitudes, qu'est-ce que c'est que ces histoires de couple rangé, jour consacré à ceci, à cela, ne soyez pas ridicule ! » Son vieux ! Avec la gueule toute rongée qu'il trimbalait, il avait la formule audacieuse.

Le dimanche matin, il était près de midi, j'avais dû me résoudre à lui avouer, à Mattilda, que nous n'irions pas à la campagne, que j'allais au stade avec Robert. Nous pourrions simplement sortir le soir, un bon petit gueuleton si elle voulait, ça compenserait. D'abord elle avait cru à une plaisanterie. Elle avait ri. Moi à un match de football ! Puis elle avait compris. Encore un coup du vieux. Et à présent, une attaque frontale, lui voler son dimanche. Secrétaire ?

Son chauffeur oui, son larbin, à courir sans cesse, à accepter des rendez-vous à des heures invraisemblables ou des jours réservés. Elle en avait marre, j'exagérais. « D'ailleurs j'ai envie de toi, là, tout de suite. Et tac ! J'ai envie que tu me prennes, que tu me baises, tu comprends ? Alors ne t'en va pas comme ça, sinon je trouverai bien à m'arranger ! » Je m'étais laissé faire, ça m'excitait de la voir ainsi enragée, me déshabiller, mais pas entièrement, s'emparer de ma verge, l'engloutir, et c'était parti. Irrésistible ! Elle me tenait, me retenait, me roulait dans le plaisir. Si bien que j'étais arrivé en retard, très en retard, le match commençait presque.

Robert était furieux, scandalisé je crois. « Vous dépassez toutes les bornes ! Je vous avais pourtant prévenu, je ne supporte pas l'incapacité à être ponctuel ! C'est peut-être maladif, ou tout ce que vous voudrez, mais c'est ainsi, et il ne vous appartient pas de jouer au plus fin. Vous saurez que moi, malgré des avantages objectifs et des titres dont vous ne pouvez vous vanter, eh bien je n'ai jamais fait attendre personne ! Vous comprenez ? Personne ! » Et il avait encore perdu de précieuses minutes à vitupérer, fou de rage, au milieu des petits revendeurs de billets au noir qui ne comprenaient rien à la scène, ne sachant si c'était à eux qu'il en avait, car il ne me regardait pas, ou plus, il tournait en rond, hurlait, comme s'il avait voulu couvrir la voix du haut-parleur qui annonçait la formation des équipes. Finalement il s'était repris et à peu près calmé, il était même devenu agréable lorsqu'il avait fallu trouver les billets, parce qu'il voulait absolument aller dans les « populaires », malgré les risques. Moi, j'aurais préféré une meilleure place, à l'abri des violences et des vociférations. Mais après une pareille colère, et devant son calme incertain, la rage prête à exploser à nouveau, je n'avais pas insisté, et nous nous étions embarqués dans le chaudron, juste pour le début de la partie.

En somme, il était drôle, Robert, émouvant aussi, avec ses passions contradictoires, son érudition très fine et ce goût pour le football, car il semblait en vivre les moindres instants, s'investir totalement dans le spectacle. « Il faut surtout éviter les tribunes, mon petit. Nous y serions coupés de toute l'ambiance, et voir le jeu en surplomb... trop facile ! » Il s'essoufflait dans la cohue pour atteindre un point d'observation et de participation qui lui convînt. « Les joueurs et l'entraîneur sont au sol, à ras de terre. C'est ce point de vue qu'il faut partager pour apprécier les subtilités d'une passe, la difficulté d'une combinaison, une erreur défensive, l'audace d'un débordement, ou l'effet du ballon, rentrant, tournant, se rabattant. » Je ne comprenais pas un mot à ce qu'il me criait dans l'oreille. « La tribune avancée, celle qui fait face à la principale, conviendrait merveilleusement, de par sa modeste élévation, surtout les premiers rangs, proches de la pelouse. Mais les commentaires ! Un public prétentieux, un tas d'ignares ! Vous ne pouvez pas imaginer la bêtise rancunière des petits parvenus, des tâcherons qui épargnent et grattent à longueur de semaine pour s'offrir un peu de prestige le dimanche. Alors ça se croit autorisé à avoir des opinions. Il faut les entendre, critiques, dubitatifs, exprimant leurs divergences, cherchant ce qui ne tourne pas, le trouvant aussitôt. Ils en arrivent même à rire de tel ou tel joueur, à le vomir, pour se venger d'un salaire et d'un plaisir qu'ils ne connaîtront jamais ! » C'était cette même flagornerie, s'exprimant avec moins de retenue, descendant jusqu'à la hargne, qui excluait les places assises non couvertes côtoyant la grande tribune. « L'endroit privilégié des petits commerçants ratatinés et dévorés d'ambition pour leurs enfants stupides qu'ils insistent à envoyer dans les lycées les plus chics de la cité, avec grec et latin évidemment, comme si de leur jus de quéquette pouvait sortir autre chose que les mêmes imbéciles obtus et figés qu'ils ont toujours été, qu'ils seront à jamais, vendeurs de caleçons, ou de saucissons ! »

Au moins, dans les « populaires », on se mélangeait à des gens venus pour regarder, et non pour se faire voir. Eux avaient dédié leurs rêves, leur cœur, à leur équipe ; ils s'étaient couverts de banderoles, chapeaux, drapeaux, déployaient les étendards et venaient perdre leur peu de voix en émotions fortes, en cris rageurs contre les injustices de l'arbitre, en dépit contre le président du club si les choses tournaient mal, en chants provocateurs et amusants adressés à ceux d'en face, si la victoire approchait. Là, on était en plein dans la soupe, chacun y allait de sa repartie, de sa grossièreté, s'emportait, implorait, et tout repartait dans une valse d'angoisses, d'espoirs. Bon, avec le temps, c'était devenu dangereux, à cause de ces jeunes crétins, bons à rien, qui ne pensaient qu'à se battre, à semer la pagaille. « Mais on trouvera toujours une raison à invoquer, eux ou d'autres pour eux, les psychologues, les sociologues, tous ces avocats de la déchéance, de la lâcheté. Ce sera la faute du chômage, du stress, des banlieues tristes, des parents absents, l'habituelle dégoulinade pleurnicharde. Cela n'excuse rien ! Cette barbarie généralisée devra un jour être matée, dans les stades comme ailleurs ! » Et il avait continué de parler en suivant le match, au prix d'incessants efforts pour saisir les phases de jeu entre les têtes de supporters qui nous masquaient une bonne partie du terrain. Ça ne me dérangeait pas, de voir mal, par bribes, puisque je n'y comprenais rien, n'arrivant pas toujours à suivre le ballon en ses avancées capricieuses. Le pire, c'était le bruit. On ne s'entendait plus parler, surtout depuis que son équipe, la nôtre, celle de la ville, avait marqué un but, tonnerre de joie, pendant un quart d'heure je n'avais rien aperçu d'autre que les longs et hauts dégagements du gardien rendus précaires par le vent mais qui dessinaient de fines et rapides trajectoires dans le ciel presque blanc. J'aurais voulu lui reparler de sa mémoire, obtenir enfin une réponse, mais il eût fallu hurler aussi fort que lui, que la foule, c'était impossible, et inconvenant pour une affaire assez intime en fin de compte. De toute façon il ne m'aurait pas écouté. Il s'était mis à m'exposer ses idées, ses convictions plutôt, sur la beauté ou l'ingratitude des différents postes que l'on pouvait occuper sur un terrain de football.

« Le pire, c'est la classe des laborieux. Quelle abnégation ! Prenez l'arrière central, vous voyez, là, le grand costaud, attaché sans répit aux basques de l'attaquant adverse ? Sa seule fonction est d'annihiler ce dernier, pour protéger la virginité de sa cage. Observez un peu comme il s'engage de toute sa masse musculaire, une vraie brute. » Il m'en dirait tant... D'ailleurs, il exagérait, Robert, il s'exprimait beaucoup trop bien, nous n'étions pas en tribune ! Avec tous les voyous qui devaient nous environner, il finirait par nous faire remarquer, ça ne collait pas avec l'ambiance, je n'étais pas rassuré. Mais pour le lui faire comprendre...

« Les deux arrières latéraux, sur les côtés, dévolus à la protection des flancs, c'est déjà différent. Bon, ils doivent contrôler leurs ailiers respectifs. Mais ils peuvent au moins se permettre quelques incursions offensives le long de leur couloir. Si tu y réfléchis, c'est d'eux que viennent les percées les plus vives, et les espoirs les plus intenses du public. Leurs courses effrénées se terminent par des centres tendus, perpendiculaires à leur ligne de propulsion, selon une physique mystérieuse et déroutante. Mais ça ne dure jamais, l'entraîneur les rappelle vite à leur fonction défensive. » Il s'était donc mis à me tutoyer, dans le feu de l'action. Je ne pourrais jamais lui rendre la pareille. Robert, c'était tout un savoir, imposant. C'était *vous*. Ce serait *moi*, bientôt. Mais jamais *tu*. Lui, il ne m'avait plus jamais vouvoyé, sans s'en expliquer. Un pas était franchi.

Quand l'arbitre avait sifflé la mi-temps, j'avais espéré pouvoir placer un mot. Mais il était lancé dans ses explications, le vieux. Il y avait les « porteurs d'eau », travailleurs de l'ombre. Le régisseur ? C'était l'idole de tout le monde, de tout ce public ravi à chaque fois que le ballon lui parvenait. D'accord, il faisait preuve d'élégance, félin dans ses échappées, fulgurant dans ses ouvertures ou ses changements de jeu. Mais quelle arrogance ! Des airs de diva ! Aussi, on en parlait trop, avec ce mythe risible du numéro dix ! On oubliait ce qui faisait la magie du jeu, cette balle qui devenait parfois insaisissable au gré de la fantaisie collective. Et fantaisie, c'était un bien grand mot. Un souvenir presque, étouffé par l'évolution tactique, l'esprit de sérieux qui s'installait partout dans ce sport. Même au numéro dix, on finirait par lui intégrer des programmes dans sa petite tête, et à ses coéquipiers aussi. « Voilà ce qu'il faut inventer, mais ça existe sans doute déjà, un ordinateur de jeu, dans le jeu, pour la conquête, la gloire ! Le ballon arrive à une vitesse de, selon un angle de, après avoir transité par tel joueur et selon telle configuration d'ensemble, donc je dois le renvoyer avec telle puissance, tel effort, calcul instantané de l'efficacité ! Parfait ! Mais quel ennui, c'est ça qu'on ne veut pas comprendre, on prévoit tout, sauf qu'à force de prévoir, il n'y aura plus rien à voir ! » Heureusement l'ailier gauche mettait un peu de piment, pétillant grain de folie dans le système. « Le drame c'est qu'on tend de plus en plus à le supprimer, à l'assagir, on joue la sécurité. » Puis je n'avais plus rien entendu de ce qu'il m'expliquait, il s'était interrompu lui-même. Un deuxième but ! Cela pleuvait de partout, rires, cris, fusées colorées, casquettes en l'air. Tout aurait aussi bien pu s'écrouler. Mais il avait vite repris, à peine une petite pause. Celui qui incarnait à ses yeux la majesté souveraine, l'intelligence anticipatrice, c'était l'arrière-libre, qui dirigeait la défense, relançait le jeu, tendait les pièges, se portait en surnombre. L'élément inattendu, qui prenait les risques, les évaluait, pouvait faire basculer un match par une irruption sauvage ou une erreur d'appréciation. Et discret avec ça, voilà ce qui faisait sa force, sa grandeur.

Robert avait fini. La victoire de nos couleurs était assurée, il m'avait précisé qu'il ne restait pas assez de temps à jouer pour envisager une égalisation, l'écart était creusé. Le stade s'était assoupi dans une satisfaction goguenarde. Alors je lui avais demandé presque imperceptiblement et avec une douceur préméditée, s'il avait réfléchi, s'il avait pris une décision. Je n'étais pas bien assuré qu'il m'eût entendu. Il rêvait encore de son arrière-libre, quelle drôle d'expression ! Ou peut-être suivait-il une action, le débordement, la sortie du gardien. Il m'avait regardé bizarrement, puis esquissé un sourire indécis. « Le gardien ! Oublié ! Et tu ne me demandes rien ? A croire que tu n'as pas écouté ! Un être à part le gardien de but, caractère spécial, alors c'est difficile de le classer, de lui attribuer une position dans l'échelle. Tout le différencie, sa casquette, son équipement molletonné, et le droit de jouer avec les mains à l'intérieur de sa zone. Non, on ne peut le comparer à aucun autre rôle. Mais ce n'est pas une raison pour l'ignorer ! »

Bien entendu le vieux était assez malin, et fourbe, pour avoir parfaitement entendu ma question, mais n'en rien laisser paraître. Parce qu'il n'en voulait pas, là, à ce moment. Il avait dû trouver cela incongru, ou ne daignait pas se souvenir. Il m'avait encore regardé d'un air dubitatif et inquiet. Le match touchait à sa fin. Il n'y avait pas eu de bagarres, mais le ton commençait à monter, des groupes fanatiques s'échangeaient insultes et chants, d'un bout à l'autre du stade. Nous aurions pu déguerpir, ne pas courir de risques, surtout lui, avec son âge, ses douleurs dans les jambes, et la fatigue. Mais il estimait impoli de partir avant la fin d'un spectacle, si bien que nous étions restés plantés là cinq bonnes minutes, il y avait presque eu un troisième but, comme si ça n'avait pas suffi, comme s'il n'y avait pas eu assez d'électricité déjà dans la foule des « populaires ». Ensuite, c'était trop tard. Il avait fallu patienter, que des cordons de police escortent les bandes les plus excitées, que la passion se disperse. Une longue demi-heure. Nous ne nous étions plus rien dit. De toute façon, ma question, il n'avait pas l'air d'en vouloir. Il faudrait encore attendre.

XV

Je savais, je sentais, que ça finirait par exploser, avec Mattilda. Tout avait pourtant bien commencé ce jour-là, un samedi, je voulais me racheter, effacer un peu de sa douleur, de sa mélancolie. Alors j'avais décidé de l'emmener à la campagne, pour le week-end, le vieux s'arrangerait seul, il devait comprendre que je ne pouvais pas toujours être à sa disposition, et sans répit, j'avais aussi ma vie privée, je ne pouvais pas tout détruire pour lui, pour cette mémoire. L'escapade à la mer, le match de football : la coupe était déjà presque pleine, il s'agissait de retrouver un équilibre, le calme.

Nous rentrions du marché, j'y avais rejoint Mattilda après une matinée passée à la Bibliothèque nationale, que je continuais à fréquenter, par habitude, ou pour clarifier certaines affirmations du vieux, remplir ses ellipses, ou mes propres lacunes lorsqu'elles étaient trop grossières. Ensuite nous serions partis au hasard des routes, pour le plaisir. A vrai dire je n'avais jamais tellement goûté ces journées vides et imprévues, dissipées, sans rendement effectif. Mais là, il le fallait.

Mattilda était bien belle, dans sa colère apaisée et sa petite robe printanière couleur melon. Rien d'un sacrifice, ni d'une corvée, cette excursion ! Et nous jouions, comme des gosses, dans l'air trop chaud, nous nous courions après, je l'avais rattrapée, je la portais dans mes bras, elle riait, criait un peu, des reproches doux, ce n'était pas son genre de se donner en spectacle, même qu'au début de notre relation elle supportait mal que nous nous affichions, comme elle disait, que nous nous tenions par la main, ou que je la prenne par l'épaule. Alors elle se débattait, indécise et surprise, joyeuse surtout, et à ce moment-là, juste à ce moment-là, nous étions tombés sur le vieux. C'est-à-dire qu'il était encore à mi-chemin dans la rue lorsque nous avions débouché à son coin, mais il nous avait vus, aussitôt, avec son regard prédateur et accusateur. Il venait à notre rencontre, il ne pouvait pas ne pas nous avoir vus, et observés. J'avais deviné la réprobation dans ses sourcils rehaussés, le visage entièrement tendu. Peut-être avait-il hésité à rebrousser chemin, à faire mine de rien. Mais il n'en aurait probablement pas eu le temps.

Mattilda s'était tout de suite doutée de qui ça pouvait être. A ma réaction. Elle avait eu juste le répit nécessaire pour préparer quelque chose, une impertinence, une vengeance, ou simplement une provocation. Un test aussi. A peine avais-je entamé les présentations qu'elle s'était exclamée : « Ah ! c'est vous le fameux Robert ! », avec un petit rire insinué dans chaque mot, en faisant légèrement siffler son nez pour bien marquer l'arrogance de son ton. Puis elle avait poursuivi son chemin, sans lui serrer une main qu'il s'apprêtait à lui tendre, sans lui accorder un seul regard de plus, comme si son opinion avait été faite. Il n'y aurait plus rien à dire. Nous étions restés pantois. Je ne l'avais jamais connue ainsi, Mattilda, ça ne lui ressemblait guère. Comment devais-je réagir ? Elle ne m'aurait pas pardonné de ne pas la suivre, de ne pas prendre son parti. En même temps je sentais l'affront, et la déception, la désillusion, que Robert éprouverait devant ma pleutrerie. J'avais grimacé mon embarras, j'aurais voulu trouver le mot d'apaisement, mais rien ne venait, de toute façon il n'y avait pas d'explication valable, alors je m'étais presque enfui, je l'avais abandonné dans son indignation, sa fureur peut-être. Je m'étais retourné, deux fois, mais pas lui, il était reparti de sa lente démarche incertaine. Qu'avait-il donc pu penser, sur le coup ? Elle avait exagéré, Mattilda, qu'est-ce qui lui avait pris, elle si douce et si polie d'habitude, il n'y avait aucune raison à son attitude. Un vieil homme, qu'elle ne connaissait même pas ! Oui, un vieillard, ça exigeait un minimum de respect.

Lorsque je l'avais retrouvée, plus loin, sur une place, assise à l'ombre d'un grand saule, elle riait, nerveusement. Elle me plaignait. Un véritable cadavre, mon Robert, rongé, ravagé, et ce visage, pas même la beauté des vieux, ni leur sérénité. Un malade, une bête, et moi qui m'étais mis à bégayer devant lui ! J'avais honte d'elle ? J'aurais pu lui courir après si je voulais, il était encore temps, rattraper mon maître, l'idole ! Un débris, oui. Oh ! bien sûr, ce devait être un puits de science, ou de lettres, avec la mine qu'il avait, ça se sentait à plein nez, il puait les archives, la mort, exactement, la mort, parce que la vie c'était tout autre chose, c'était elle, nous, sortir, s'amuser, s'aérer, baiser, et oublier, et recommencer. Puis elle s'était tue, comme soulagée, allégée.

Elle aurait vite tourné la page. Mais par la suite ça n'a plus été pareil, il y a eu cette nouvelle image de Mattilda, cruelle, rageuse, comme une lézarde dans mon rêve, comme une ombre entre nous. Et une suspicion. Elle avait dû le pressentir, très vite la tristesse l'avait à nouveau gagnée, un peu plus lourde, malgré mes efforts pour la divertir.

Cela me faisait mal de la voir ainsi. Il aurait fallu la protéger et je la détruisais, ou je la perdais, à mes yeux c'était pareil. Ces choses-là, je ne les avais pas saisies sur le moment, j'avais essayé de revenir dans la journée telle que nous l'avions programmée. Nous étions partis par de petites routes, sans but précis, dans un flamboiement de coquelicots alors que les cerises s'empourpraient déjà. La saison était très avancée, prétendait-on, d'une lune au moins. Mattilda semblait absente. Je me sentais seul et gêné, fatigué aussi. Désespéré. Je m'efforçais à reconstruire toute l'affaire depuis le début, comme à présent, mais je me perdais dans les nuances, ou les variantes, trop compliquées pour moi. Je ne parvenais pas encore à évaluer les événements, je crois. Alors j'avais enclenché la radio, le premier poste venu, pour arrêter de réfléchir, pour tuer le silence.

XVI

Lorsque j'étais retourné chez le vieux, le surlendemain, dans la pluie d'heures engourdies, je m'attendais au pire. J'avais d'abord envisagé de n'y pas aller, maladie ou fatigue, une excuse quelconque. Mais ça n'aurait fait qu'aggraver la situation. Il m'attendait, devant une tasse de café, parmi des assiettes sales, des plats entassés. Ailleurs dans la maison, c'était au moins rangé, rien qui ne fût à son exacte place. Dans la cuisine, par contre, un désordre incroyable s'ajoutait à la puanteur, tout semblait recouvert d'une épaisse pellicule de crasse, de graisse. La vaisselle de la veille, et des jours précédents, s'empilait en d'incertains équilibres ; dans l'évier, sur le réfrigérateur et la cuisinière, jusqu'à terre, on distinguait des restes de nourriture séchée, durcie dans les plats. Et lui, à l'aise et déjà aspergé de vétiver, trônait au milieu de ces immondices, altier, souriant. J'avais refusé la tasse de café qu'il m'avait préparée, avec des biscuits, bien que j'en eusse eu envie, je n'avais pas eu le temps de m'arrêter en chemin, toujours en retard, et ces heures trop fraîches, la ville encore embrumée et hésitante.

Contre toute attente, Robert s'était montré très doux, et prévenant, compréhensif, causeur, me posant même des questions, ce qui n'était pas dans ses habitudes. Nous avions travaillé ensemble, à mener à terme quelques petits inventaires, de paperasses, de dossiers soigneusement étiquetés, et des cartes postales, il aimait beaucoup les cartes postales, aurait voulu leur consacrer une étude, un beau livre, problème passionnant n'est-ce pas, la façon dont on découpe le réel des villes, des lieux, des paysages, une belle histoire à raconter.

Dans l'après-midi, la brume ne s'était toujours pas levée, un véritable temps d'automne dans ce printemps incertain, proche de l'été pourtant. Robert m'avait reparlé de sa mémoire, enfin de notre mémoire. « Une très belle idée. Tu as bien fait de m'en parler. » J'aurais dû lui rappeler qu'il ne fallait pas inverser les rôles, que c'était lui le premier qui me l'avait proposée, sinon je n'y aurais jamais pensé. « Bien entendu ça va poser des problèmes, ce n'est pas une mince affaire. » Mais j'avais raison, il eût été absurde d'abandonner tous ces efforts, ce trésor, à l'ennemi, à l'oubli. Plusieurs fois ces dernières années il s'était fait la remarque, à la mort d'amis, ou de célébrités, artistes, écrivains, penseurs, c'était bien triste de voir tout partir en fumée, s'évanouir dans le néant, plaf, plus rien. Et un savoir qu'on ne retrouvait nulle part, un savoir affectif, une mémoire qui passait par la chair. « En définitive, chaque fois qu'un homme de culture disparaît, quelque chose s'éteint à jamais. » Aussi mon idée le séduisait-elle beaucoup. Comme je l'avais joliment dit, ça lui offrirait une rallonge de vie, un germe qui continuerait à migrer... Cet héritage, il y aurait été plutôt favorable, mais il devait encore réfléchir. Nous aurions tout loisir d'en reparler, dès le lendemain, nous allions nous engager dans une opération assez complexe, rien à voir avec les petits classements dont j'avais été chargé jusqu'alors. Nous nous verrions donc davantage. « Du sérieux, et ce sera long, précis, mais à deux nous ne devrions pas avoir de problème. Parfaite répartition des tâches, tu verras. La dernière fois, seul, j'ai cru devenir fou. » Il m'avait raccompagné jusqu'à la voiture qu'il avait caressée d'un regard protecteur, histoire de bien marquer que c'était la sienne, qu'il était aussi mon patron, mon maître. Il avait ajouté, avec un petit rire narquois : « Meilleures salutations chez vous », et m'avait claqué la portière au nez.

XVII

A peine arrivé, le mardi matin, très tôt, de plus en plus tôt, des horaires de fous auxquels je ne me suis jamais accoutumé, il avait fallu repartir, d'urgence. Robert était tout excité, et tendu. Cela faisait bien longtemps qu'il remettait le moment d'aller acheter une chaîne stéréophonique, haute-fidélité selon l'expression. Mais depuis quelques jours son appareil ne fonctionnait plus, une installation qu'il avait pourtant payée un prix exorbitant à l'époque, il y avait une quinzaine d'années, un modèle luxueux dorénavant impossible à réparer. « On ne répare plus, aujourd'hui, on remplace ! Le technicien me l'a déclaré ouvertement, sans gêne, il ne faut même pas espérer des pièces de rechange. Une antiquité, qu'il a ajouté, système dépassé, je trouverais dans les nouvelles gammes des possibilités moins coûteuses et de meilleur rendement qu'un rafistolage impossible ou précaire. » Tout cela me paraissait logique, implacable, d'ailleurs les sous ne lui manquaient pas, au vieux, je ne comprenais pas l'inquiétude que trahissaient son visage, ses gestes, la courbure nerveuse de son corps dans la voiture. Il me demandait d'être attentif aux explications du vendeur, de l'aider à choisir, je serais de bon conseil, avec l'expérience que j'avais des ordinateurs, il fallait quelque chose qui dure, des années, des dizaines d'années, qu'il n'ait surtout plus jamais à changer. Oui, un appareil qui l'accompagnât jusqu'à la mort, peu importait la dépense. Et je devrais le mettre moi-même en place, selon ses instructions, parce que les techniciens ne respectaient pas les consignes, n'en faisaient qu'à leur tête, avec l'arrogance de leur compétence strictement technique, comme si d'autres aspects, humains, affectifs, esthétiques, n'avaient pu intervenir à un degré au moins égal.

Robert supportait mal l'irruption d'inconnus dans sa maison et la limitait autant que possible, ne recourant depuis longtemps qu'aux seuls artisans déjà agréés par lui, un habitué pour chaque corps de métier, repoussant à l'infini des travaux pourtant nécessaires si l'un d'eux était trop occupé, indisponible, ou avait disparu. Sur ce point, on ne le changerait plus, le vieux.

Les gadgets lumineux électroniques, les régimes d'amplification et préamplification, la guerre contre le souffle, les filtres, les balances, rien de cela ne l'intéressait vraiment, il n'avait prêté qu'une vague oreille au baratin du vendeur, revenant toujours avec sa question, son obsession, de savoir si c'était fiable, et solide, et durable, et réparable. Nous avions finalement choisi un modèle très récent, à peine commercialisé, à la fois massif et simple d'utilisation, le seul sans doute qui ne fût pas déjà en retard sur la technique. Il avait aussi tenu à acheter tout ce qu'il était possible de remplacer, bras et aiguilles, une dizaine de diamants. Au cas où...

Lorsque dans le milieu de l'après-midi, j'avais terminé de monter l'ensemble des appareils dans un vieux meuble mal proportionné qu'il avait fallu minutieusement ajuster, Robert s'était avancé avec anxiété, apportant un disque qu'il avait écouté en variant plusieurs fois le volume ; puis un autre disque. Et il s'était effondré. « Ce sera long, comme je le craignais. Tout est à recommencer ! » Je n'avais pas bien compris sur le moment, l'installation me semblait fonctionner à merveille. Il s'était encore tu, jusqu'à la fin du disque, un concerto fougueux qui lui arrachait une grimace à chaque entrée des violons. Puis il m'avait regardé, avec un air accablé, perdu. J'avais alors reçu l'explication, précise, du travail qui allait occuper nos prochaines journées et semaines.

J'avais eu l'impression qu'il devenait fou, ou qu'il se moquait de moi, qu'il s'amusait à mettre ma patience et ma docilité à l'épreuve. Mais en fin de compte il avait pris un ton tellement sérieux, il avait paru si triste aussi, absorbé, que j'aurais conclu au trouble pathologique. Il s'agissait d'indiquer sur chacun de ses disques, et il en possédait quelques centaines, nous devions donc indiquer le volume auquel il convenait de les écouter. Sa nouvelle installation, les progrès techniques, avaient modifié les données. L'aiguille, plus sensible, révélait des sons jusqu'alors peu perceptibles, en atténuait d'autres. « Oui, il faut tout reprendre, depuis le début. C'est pour cela que j'aurais voulu le même modèle que mon vieil appareil, ou faire réparer celui-ci. Quand j'y repense ! Avoir évalué, pour chaque morceau, patiemment, le volume adéquat, qui respectait au mieux la complexité de chaque musique, la finesse ou l'audace d'une interprétation, ses limites. Tu crois peut-être que l'on peut déguster un disque à n'importe quelle puissance ? Pas du tout ! C'est pour cette raison, cette impérieuse nécessité d'une écoute appropriée, que je me suis résolu, il y a si longtemps déjà, à acheter une maison, la seule à l'époque qui fût tout à fait isolée, pour fuir les immeubles locatifs, et les voisins qui m'empêchaient de mettre certains morceaux à la puissance voulue ! » Ils n'avaient rien compris à la musique, ça chatouillait leurs délicates oreilles ! Ils en étaient encore à croire que s'il y avait graduation de volume, c'était par hasard, et chacun de s'en remettre ensuite à sa fantaisie. Mais non, je ne tarderais pas à m'en rendre compte, tout cela relevait d'un système rigoureux et précis, évident si l'on y prêtait attention. On devait constamment adapter, au timbre d'une voix, à l'envolée d'un violon, aux élans d'un chœur. La complication de l'opération allait jusqu'à modifier parfois le réglage de face en face, de morceau en morceau. Cela requérait une concentration très éprouvante, des hésitations, des tâtonnements sans fin, mais le bon cran une fois trouvé, la musique y semblait à jamais liée. Il n'aurait plus pu l'écouter autrement, assis sur une chaise austère, inconfortable, parce que seul le recueillement, une ascèse presque, pouvait conférer tout son sens, sa charge émotive et intellectuelle, à la musique.

Alors cette fois, il s'était constitué une abondante réserve, il ne serait plus tributaire de l'évolution technique et de ses caprices.

Dans l'immédiat, mon rôle consistait à proposer des volumes en manipulant délicatement le potentiomètre, pendant que lui traquerait et consignerait la bonne mesure sur les pochettes, depuis son siège situé à stricte équidistance des deux enceintes acoustiques, selon des angles qu'il avait scrupuleusement calculés et appliqués, et qui définissaient le point de stéréophonie parfaite, le même, en somme, qui m'avait tant frappé lors de notre excursion en bord de mer. Si je m'étais douté...

« Oui, un gros travail, et il faudra l'achever au plus vite ; je ne vais pas en dormir, je me connais. Dès demain, n'est-ce pas ? En attendant, nous allons nous servir un petit apéritif sur la terrasse, puisqu'il fait enfin beau. Je crois que nous avons des choses à débattre. » Toute la journée j'avais cherché à me dégager l'esprit de cette nouvelle obsession, sa mémoire, mais je ne pouvais m'empêcher d'y penser, de la caresser presque. Et tout à coup je touchais au but. Il allait me donner sa réponse, un accord, aucune raison de refuser, il ne se connaissait plus de famille, il n'entretenait aucune autre relation que deux amis, dans la cinquantaine à ce que j'avais déduit, l'un professeur, l'autre libraire, mais qu'en feraient-ils, eux, à leur âge, de ce savoir ? Ils en possédaient assez pour leur propre compte. Et ils ne lui étaient pas vraiment dévoués. Tandis que moi je m'occuperais de lui, consciencieusement, je l'accompagnerais vers sa mort, ça je devrais le lui dire, pour le persuader s'il hésitait encore, je n'étais pas un ingrat, il pourrait compter sur moi jusqu'au dernier jour, j'aurais d'ailleurs intérêt à être présent...

Mais Robert, lourdement installé dans un fauteuil en osier, son verre de blanc sec rempli à ras bord, avait commencé à parler de tout autre chose, de ses voyages lointains, qu'il n'évoquait pourtant pas volontiers. Des histoires surprenantes, étranges, sur certaines peuplades d'autres continents qu'il aurait visitées, ou dont on lui aurait rapporté les coutumes. Ainsi de ces femmes africaines de haute noblesse, d'une beauté stupéfiante, à qui était accordé le droit d'épouser d'autres femmes, tout aussi belles la plupart du temps. Elles leur choisissaient ensuite des amants, mâles, esclaves le plus souvent, à charge de les engrosser, ce qui donnait lieu à un rituel parfaitement érotique, il avait le souffle court pour décrire ou imaginer ces scènes d'adultères commandés, d'accouplements autorisés, et accomplis sous les yeux de ces somptueuses reines qui n'avaient peut-être jamais connu l'homme. « Le plus étonnant, pour nos petits esprits européens, c'est que les enfants issus de ces joutes sont ensuite reconnus par leur mère inspiratrice. Ils acquièrent biens et titres de celle dont ils ne proviennent que très indirectement, par sa décision de combiner tel foutre avec tel vagin. Superbe, non ? Beaucoup mieux que nos tristes mères porteuses râleuses. Quel raffinement ! Exemplaire répartition des fonctions ! Entends-moi bien, nous avons beaucoup à apprendre de l'Afrique ! »

Il avait enchaîné avec le cas d'une petite tribu, extrêmement réduite et fermée, dont chaque membre était susceptible d'avoir épousé tous ceux de l'autre sexe à la suite, tant les règles du mariage s'y révélaient lâches, et la mémoire courte. Alors je devais bien comprendre que les exaspérations possessives et les jalousies aigres dont il était trop souvent témoin ne pouvaient lui inspirer que fatigue et impatience, sinon consternation. Comme cette petite effrontée avec qui il m'avait rencontré l'autre jour, pour qui se prenait-elle enfin, et moi qui me prêtais à son jeu, des cabrioles en pleine rue, du joli ! Elle avait bien à apprendre de la vie, qu'est-ce que ça voulait dire des attitudes pareilles, en tous les cas une prochaine fois il n'aurait plus la même retenue ni la même indulgence, une paire de gifles, à cette gamine. D'ailleurs elle n'était pas du tout faite pour moi, ça se voyait au premier coup d'œil. Il était grand temps de réagir, sans quoi j'allais me faire dévorer, annihiler, pas le premier qui se laisserait détruire par leurs minauderies et bouderies ! Et Robert avait repris ses histoires, poétiques à leur façon, des croyances émouvantes, paysans d'Amérique du Sud qui, pendant les sécheresses, s'engageaient dans les chaleurs étouffantes pour aller parler, doucement, tout doucement, aux plantes. Ils les suppliaient de ne pas mourir, de tenir bon, ça ne durerait pas éternellement, l'eau reviendrait un jour, bientôt, et ils s'entretenaient avec elles, durant des heures, leur murmuraient un peu d'énergie, y revenaient le soir, et la nuit, et le matin, couvrant à tour de rôle le plus vaste territoire possible. Ils y consacraient tout leur temps, à ces plantes, pas même de grosses plantes, les chétives aussi, presque inutiles, improductives, mais ça devait répondre à un besoin d'équilibre, il ne fallait pas en abandonner une seule, ne pas lâcher prise.

Lorsqu'il avait parlé de Mattilda, je l'avais

laissé dire, je n'avais pas répondu. Cela n'aurait servi à rien, il ne la connaissait pas. Et c'était indiscutable qu'elle avait eu tort, que rien ne l'autorisait à traiter avec une telle désinvolture un vieil homme qui aurait pu être son grand-père. En fait, je n'avais pas réagi à l'attaque du vieux par lâcheté, ou par intérêt, pensant qu'il valait mieux que ce fût liquidé, ainsi nous n'en parlerions plus, je pourrais lui demander tranquillement une réponse pour notre affaire. Par contre, son histoire d'Indiens m'avait touché, j'étais presque joyeux, sachant que ça plairait à Mattilda, que ça la ferait sourire, et rêver, elle y repenserait souvent. Peut-être le vieux lui paraîtrait-il moins antipathique ou haïssable, de s'intéresser à de tels rites. Il ne pourrait plus lui sembler imbécile, ou insensible. Ces entretiens avec les plantes dégageaient une poésie légère, une émotion, c'était exactement ça la vie, ces paysans pourraient toujours parler, ils trouveraient une plante pour les écouter. Et ces plantes, elles avaient dû entendre de jolies choses, des drôles de mots, la sécheresse représentait un étrange moment pour elles.

Oui, Mattilda serait contente. Réconciliée, avec moi, avec lui.

Une fois que Robert était lancé, on ne l'arrêtait plus. Il aurait pu continuer à raconter des histoires toute la soirée, et la nuit. J'étais saoul, de ses paroles souvent compliquées, du vin blanc bu à jeun, de la chaleur lourde et orageuse. Alors j'avais pris l'initiative de l'interrompre, pour la quatrième ou cinquième fois, de lui demander s'il avait pris une décision. J'aurais voulu accompagner ma question de quelques promesses, avec un ton docile et agacé à la fois, mais il m'avait devancé d'un « oui ! » sec et sonore qui invitait davantage au silence qu'à une rallonge. Lui aussi s'était tu, de longues minutes, ponctuées par d'imperceptibles hochements de tête. Il exagérait, le vieux, son attitude devenait insupportable. Depuis deux mois, il me tenait en haleine, en sursis, comme s'il avait voulu profiter au maximum de sa supériorité, m'écraser un peu plus encore de son âge, de son savoir, de tout.

Finalement il s'était levé, avec peine, ivre un peu. Les yeux fixés sur moi, il m'avait expliqué qu'il avait longuement réfléchi, analysé la situation. Il ne se souvenait pas m'avoir fait une pareille proposition. Ce serait pourtant amusant, très amusant, de me léguer ses souvenirs, ses lectures, ses idées. Presque une providence pour une petite tête comme la mienne ! Mais il faudrait la mériter, cette précieuse mémoire, la gagner en quelque sorte. Oui, la gagner. Lui prouver que j'en serais digne. Si sa vie m'était ainsi remise, il fallait en échange lui consacrer le temps qui le séparait encore de la mort. Ce n'était rien en regard de ce qu'il me donnerait. Je devais accepter de devenir totalement son élève, son esclave spirituel, son ombre, en attendant de me faire ma propre place au soleil. Pour commencer, il faudrait tôt ou tard abandonner la ridicule jeune femme dont je semblais tant épris, et réviser ma conception naïvement mécanique du savoir et de son apprentissage. Car ce n'était pas une affaire de comptabilité, je devais bien me le mettre dans la tête.

Sacré vieux ! Il avait alors entrepris de me vanter sa marchandise, comme si je n'en avais pas su le prix, mieux que lui peut-être. Ingurgiter tous ces livres n'avait pas été facile, une immense bibliothèque au total, il avait lutté pour les assimiler et les combiner, les ponter. Il avait fallu s'accrocher ! Et il m'avait énuméré ses difficultés, ses découragements, les brusques illuminations suivies de crises grises, de jours ternes où tout semble échapper à la moindre synthèse possible, où l'on a l'impression de ne rien savoir, rien voir, rien comprendre. Un véritable apologue, à croire qu'il cherchait à me faire honte, avec mon ordinateur et mes petits programmes systématiques ! Mais Mattilda ? Je ne pouvais pas la quitter, elle était trop fragile, trop seule dans son univers. Le vieux, ça, il ne pouvait pas le comprendre. Il devait s'imaginer que tout le monde était aussi fort que lui, et blindé, cuirassé. Surtout, je l'aimais, j'avais besoin d'elle, depuis tant d'années que nous vivions ensemble, nous ne pourrions plus nous séparer, trop liés, nous ne saurions même pas jusqu'où elle allait et où je finissais. Dans nos têtes aussi. Mais tout cela, je ne pourrais jamais l'exposer à Robert, encore moins l'en convaincre. Mieux valait n'en plus parler, laisser aller. Il risquerait d'oublier, de s'apaiser. Lui-même n'avait-il pas dit « tôt ou tard » ?

Pour le reste, dévouement et obéissance, servitude puisqu'il avait employé le mot, ça ne posait pas de problème. J'aurais simplement préféré en avoir l'initiative, pour faire preuve de bonne volonté, lui démontrer que j'étais généreux, et bien intentionné, qu'il n'aurait pas à regretter sa proposition, son don. Mais comme toujours, les mots me venaient après, ou à côté, je ratais les bons moments, incapable de saisir une occasion. J'aurais voulu, une fois au moins, tomber à propos, mais ça, je n'avais jamais su, jamais. Je ne savais même pas me préparer. Plus tard, peut-être, avec tout son savoir. Oui, plus tard. A présent, c'était sûr.

XVIII

Le lendemain, nous nous étions mis à la tâche, un travail absurde. Robert tenait, pour certains disques, à écouter chaque morceau, tâtonnant longuement avant de trouver le volume convenable. Je pensais que nous n'en finirions jamais, moi accroché au potentiomètre, lui me faisant des signes précis, brefs, d'un bras ou de l'autre, sans aucune parole, ni regard, simplement quelques impatiences lorsque je ne comprenais ou ne réagissais pas tout de suite.

Ce qui me dépassait et m'était vite devenu insupportable, c'était l'aberration de s'adonner à des classements aussi méticuleux, à ce véritable culte du système, dans le merdier et la puanteur de cette maison. Tout sentait le renfermé, le moisi. Les mouches s'agglutinaient sur des tables désertes où, à l'exception de celle de la cuisine, rien ne traînait mais tout les attirait. Oui, ça sentait vraiment très fort, à dégueuler, dans ce salon, attenant à la bibliothèque, dont il avait fait son lieu de musique. Tout y était bien rangé pourtant, chaque objet, livre, meuble, à sa place. Pour vraiment mesurer l'état de saleté, il aurait fallu déplacer un cadre, ou un fauteuil, trahison régulière de la marque du temps, de la négligence. L'ensemble se trouvait uniformément recouvert d'une immonde et légère pellicule de graisse, de merde, la sueur des jours. Non que Robert fût sale, ou enclin à la saleté, par goût, ou perversion, ou conviction. Ou par naturel. Il devait rechercher la propreté au contraire. Mais au fil des années, les tâches domestiques lui avaient pesé de plus en plus, sa dégradation physique en avait rendu l'exécution de moins en moins probable, en même temps que sa solitude forcenée, son besoin d'isolement, excluaient le recours à une aide extérieure, femme de chambre ou gouvernante. Entre les perturbations qu'aurait forcément entraînées une présence étrangère, régulière, et la gêne d'un laisser-aller progressif auquel il aurait toute chance de s'habituer, il avait sans hésitation opté pour la deuxième solution. Il s'était d'abord efforcé de fermer les yeux, puis le nez, tout enfin. Et il n'y avait plus prêté attention. Comme il ne recevait pour ainsi dire personne, ça ne tirait pas à conséquence.

Au bout du quatrième jour à étouffer dans une chaleur fétide et des musiques sans cesse interrompues, j'avais craqué. C'était plus fort que moi, et puisque ça allait continuer longtemps encore, qu'il y aurait d'autres travaux, de nouveaux classements, et des contrôles, des améliorations, des précisions sans fin, il valait mieux intervenir au plus vite, crever l'abcès, lui dire carrément ce que j'en pensais de sa porcherie. Il en avait paru comme soulagé. Sûr qu'il avait prévu. Il avait dû remarquer mon dégoût, un rictus, cette insistance que je mettais à ouvrir la porte, les fenêtres, à aérer. Mais aussitôt un petit sourire dédaigneux m'avait rappelé le peu d'importance que cela pouvait revêtir à ses yeux ; d'autres urgences prévalaient, il arrivait un moment dans la vie où l'on se détachait de ces contingences, où l'on s'oubliait, parce que le temps se rétrécissait, qu'on cherchait donc à en faire le meilleur usage, à parer au plus pressé. N'empêche ! Je l'avais interrompu dans son écoute des disques, et littéralement expulsé, puis j'avais tout ouvert et entrepris un nettoyage en règle.

Il n'y avait aucun produit de nettoyage, ni désinfectant, j'avais dû aller en chercher à l'épicerie. Ils n'en revenaient pas, tous ces détergents et déodorants pour la maison de M. Robert, lui qui n'en avait jamais acheté jusque-là, pour un peu ils auraient refusé de les inscrire sur son compte, tant ça leur paraissait invraisemblable. Et j'avais engagé le combat, pris d'une véritable frénésie hygiénique. C'était presque gratifiant, il faut l'admettre. On voyait immédiatement la différence, encore mieux que dans les publicités crétines de la télévision, plus blanc, plus net, éclat instantané, je ne pouvais plus m'arrêter, emporté dans une accélération constante, dégoulinant de sueur, éprouvant une excitation presque sexuelle, comme souvent lorsque je transpirais. J'aurais dû interroger Robert à ce propos, il aurait certainement trouvé une explication, une théorie. En dehors des salons et de la cuisine, j'avais un peu bâclé, décrotté le plus gros, parce qu'elle était vaste, la maison du vieux, c'était la première fois que je la découvrais en entier, elle comportait des recoins, des alcôves, des cagibis, à n'en plus finir. La cave et le grenier, j'avais laissé tomber, après tout je n'y mettrais pas les pieds, j'en avais déjà trop fait, ce n'était pas chez moi. Eh bien si, justement, ça allait le devenir.

La nuit tombait déjà, Robert m'attendait sur la terrasse, assis à lire, avec un plaid sur les jambes, pour le protéger d'un air encore frais. Avec un verre de blanc aussi, c'était une fixation, mais pétillant cette fois, comme pour fêter une victoire. Il n'avait pourtant pas osé aller jusqu'au champagne. « Très bien ! Impressionnant ! Une véritable fée du logis, ce petit ! » Et il m'avait proposé, c'est-à-dire imposé, son ton allait toujours un peu plus loin que ses paroles, leur donnait un supplément d'intensité, d'autorité, il m'avait donc suggéré de venir m'installer chez lui, la maison était suffisamment spacieuse. « Cela facilitera nos travaux, nos horaires. Et à présent, tu vas te sentir à l'aise, plus rien ne fait obstacle, tu as nettoyé ton territoire, bien propret. Foin des mauvaises petites odeurs ! » Le piège se refermait, que j'avais moi-même ouvert. Il avait patiemment organisé son coup, avec toute la sournoiserie dont il était capable. J'aurais eu envie de lui crier le nom de Mattilda, si belle, si fraîche, pas comme sa sale gueule ratatinée fripée, et son esprit tortillard et revanchard, vieux salaud, il ne se rendait pas compte du mal qu'il lui ferait, elle ne pourrait pas supporter, pas comme ça, pas pour ça, pour lui ! Ou s'en rendait-il trop bien compte ? Je la voyais, Mattilda, les yeux remplis de stupeur. Assommée. Lui aussi imaginait sa réaction, son écroulement. Il devait lui en vouloir terriblement, ayant calculé son attaque avec méthode, à petit feu, et il savait que dorénavant il me tenait, que je vivais déjà dans l'idée de l'héritage, de sa mémoire, que rien ne pourrait m'y faire renoncer, même plus Mattilda. Ou non ? Je ne savais plus, tout allait si vite, de façon imprévue. J'avais souri évasivement, pour ne pas répondre, ne pas parler. Surtout ne pas parler. Gagner du temps.

A mon retour, quand j'étais entré dans la chambre, sans allumer et à pas de loup, Mattilda dormait. Elle avait bougonné deux ou trois mots incompréhensibles en sentant mon corps se plaquer contre le sien, nous passions toutes les nuits ainsi, depuis quatre ans. Je m'étais longtemps interrogé sur ce qui m'arrivait, avant de trouver enfin le sommeil. Mattilda. Si j'avais pu lui expliquer...

XIX

Nous en avions eu pour une vingtaine de jours, avec les disques, et nous n'étions pas arrivés au bout, plusieurs cas étaient demeurés en suspens, Robert désirait y repenser, prendre du recul. A plusieurs reprises, j'avais su repousser son invitation à m'installer dans la maison, mais avec une difficulté croissante. Les arguments commençaient à faire défaut. J'essayais de renvoyer jusqu'à la mi-juillet, Mattilda partirait en vacances, un bon mois, deux peut-être, chez ses parents qui de toute façon ne voulaient rien entendre de moi, n'avaient jamais voulu me recevoir. Je n'étais pas un homme pour leur fille, estimaient-ils. Parce qu'ils devaient se faire à ce propos une image bien arrêtée qui ne cadrait pas avec ce que j'étais, d'où je venais, que sais-je encore ? En tous les cas, Mattilda serait absente, longtemps, je pourrais achever les classements les plus pressants, parer aux urgences, puis tout rentrerait dans l'ordre, le vieux finirait par oublier sa rancune.

Mais il avait probablement deviné mon

calcul, comme souvent, il me donnait l'impression de lire dans ma tête quand il me regardait, avec une perspicacité indomptable. Oui, c'était son regard, tout passait par là, on ne pouvait rien y soustraire, impossible de frauder.

Autour du 20 juin, pour fêter l'été, c'était peu après le classement des disques, qui m'avait tant fatigué, nous avions décidé avec Mattilda d'aller passer un week-end à la mer, de nous changer les idées. Le lui refuser aurait été impensable, indécent presque, et en définitive, j'en arrivais à préférer des loisirs idiots à ces journées infernales et sinistres passées auprès de Robert. Mattilda était heureuse, elle semblait avoir oublié, ou accepté. Peut-être m'avait-elle pardonné ? Moi aussi, je m'étais senti bien, au point de me demander si je n'aimais pas ça, la plage, la chaleur qui assommait, l'eau qui réveillait vaguement, ce bruit enveloppant qui empêchait de lire, de penser, qui permettait tout au plus un incertain sommeil, vide.

Eh bien, cette escapade, deux petits jours, ne lui avait pas plu, au vieux. Pas du tout. La réaction n'avait pas tardé, comme une montée au filet avec volée gagnante. Oui, gagnante à coup sûr ! A peine rentré, le lundi matin, tôt, qu'il m'avait rappelé notre contrat. J'en prenais à mon aise, il ne pouvait pas compter sur moi, j'avais pourtant juré une disponibilité de chaque instant. J'aurais eu beau lui dire que depuis quelque temps je travaillais à journées faites pour lui, que j'avais bien droit à un peu de repos, ça n'aurait servi à rien. Quand il était énervé, Robert, tout se retournait à son avantage, comme autant de preuves accablantes.

Puis il s'était calmé, m'avait posé quelques questions, ce que j'avais fait, où j'étais allé. Il avait souri, parce qu'il savait bien le genre d'endroit abêtissant que c'était, oui, il avait souri d'un air écrasant, condescendant, j'avais l'impression d'être au confessionnal. Et je ne me trompais pas : il avait préparé une véritable pénitence, et m'attendait pour cela, avec la tension d'une cruauté qui s'assouvit. « A propos », avait-il enchaîné. Oui, « à propos », comme si une idée lui était venue, soudaine. L'épicerie prenait dès la semaine suivante ses vacances annuelles, les autres commerçants aussi, chaque année le même exode qui précédait celui, en août, du centre-ville, alors le quartier ressemblerait à un désert traversé par quelques touristes hébétés, à croire que tous ces marchands se retrouvaient, agglutinés quelque part, sur une plage, peut-être la même que je fréquentais, et il avait accompagné cette supposition d'un petit sifflement sarcastique. Quoi qu'il en fût, ça l'ennuyait beaucoup pour ses emplettes, un mois durant il ne pourrait plus s'approvisionner dans les alentours, et avec ses jambes, ses reins, avec la chaleur surtout, il ne pourrait plus aller jusqu'en ville, déjà qu'il avait dû raccourcir sa promenade matinale, impossible de porter des sacs trop lourds, ni de consentir à un effort prolongé. Et il n'y avait pas que la nourriture. S'il avait un besoin urgent de médicaments, si une crise le prenait, comment ferait-il ? Non, ce n'était désormais plus envisageable de se débrouiller seul, je devais venir m'installer chez lui, il mettrait deux chambres du haut à ma disposition, que je pourrais aménager à mon gré. Il m'avait prévenu, j'avais eu le temps de m'organiser, je ne pouvais pas avoir d'excuse. Oh ! il avait bien senti que cela m'ennuyait, alors il avait repoussé autant qu'il avait pu, il avait cherché d'autres solutions, mais là il était désolé, on ne pourrait plus s'arranger.

Tout ça « à propos » ! Il ne manquait pas de souffle, le vieux ! Il devait me prendre pour un con, ou un imbécile, ou un enfant. Depuis plusieurs jours qu'il y pensait, il n'allait pas rater l'occasion, il avait même préféré m'avertir au dernier moment, des fois que j'aurais trouvé une échappatoire. Ainsi il me tenait, il avait gagné, je devrais quitter Mattilda.

J'avais dû pâlir, le choc, ou la rage, mais dans le soleil ça ne se remarquait pas, d'ailleurs il ne m'avait plus regardé, avait affecté un air négligent, distrait, feuilletant des coupures de journaux, des lettres. Oui, évidemment, les vacances, la santé, arguments imparables. Bien joué Robert ! Il s'était de plus, au passage, donné des intentions gentilles, une bonne volonté. « Désolé », il avait poussé jusqu'à se prétendre désolé. Un mot qui me résonnerait à jamais dans la tête, de même qu' « à propos ».

Voilà. Il venait d'achever sa vengeance contre Mattilda. Mais peut-être n'y pensait-il plus ? C'était vraiment pour m'avoir à sa disposition, à son écoute ? Me faire mieux payer sa mémoire ? Avec lui, on ne savait à quoi s'en tenir, il connaissait trop d'histoires, trop de mots, et les agitait à toute vitesse, parfois ça donnait le sentiment de se superposer, de s'empiler, alors j'étais peut-être injuste, qui sait s'il n'avait pas été sincère, même son sourire du début, ça pouvait être de la gêne, de l'embarras ?

XX

Des classements, Robert ne pouvait en avoir inventé à l'infini ! Et il était trop vieux pour en lancer de nouveaux, ça au moins il le reconnaissait, il demeurait lucide. Nous arrivions donc gentiment au terme de ce qu'il avait appelé les urgences. Il y aurait certes l'entretien, les mises à jour, il m'avait prévenu. La routine. Et des recherches ponctuelles, des missions, pour lui permettre d'achever son panorama des œuvres disparues et par lui ressuscitées, ou en voie de l'être. Mais j'aurais davantage de temps pour moi, pour travailler à l'ordinateur, si cela avait encore un sens. Mes convictions s'étaient envolées, la méthode que j'avais adoptée devenait obsolète. Il n'y aurait plus eu qu'à attendre sa mémoire.

Le lendemain de son ultimatum, huit jours, il me laissait huit jours, Robert était sorti de sa réserve, il s'était mis à raconter des histoires sur son propre compte, ça faisait longtemps qu'il ne l'avait plus fait, des anecdotes, des choses invraisemblables, je m'étais demandé s'il n'exagérait pas, s'il n'arrangeait pas les hasards parfois, ou les monstruosités.

S'il n'en rajoutait pas, comme on dit. Les livres, cette infinité de livres qu'il portait dans sa tête, venaient-ils interférer, et croiser sa propre vie ? Oui, peut-être mélangeait-il les plans et les niveaux, le vieux, les lectures contaminaient le vécu, ou vice versa. D'ailleurs, il citait, déclamait, résumait de plus en plus, comme s'il avait cherché une nouvelle fois à me persuader de la bonne affaire que je faisais, finalement il exigeait peu, très peu, pour un pareil trésor ! J'avais donc intérêt à respecter mes engagements.

A ce moment-là, j'aurais presque hésité à laisser tomber. Mais Mattilda ne m'aidait guère, avec son attitude renfermée et boudeuse. J'avais besoin de ses paroles, une perche à laquelle m'accrocher. Ne pouvait-elle se prononcer elle aussi, formuler des exigences, imposer des délais, des conditions définies et redéfinies, que ça fasse équilibre avec le vieux ? Mais non. Elle m'abandonnait à mes tiraillements, ne consentait à aucun effort. Si ça finissait mal, elle l'aurait mérité. Depuis le temps que nous partagions nos jours, nos nuits, plutôt les nuits que les jours c'est vrai, elle aurait dû remarquer que j'attendais quelque chose d'elle, une secousse, que je ne trouvais pas les expressions justes pour la rejoindre. C'était à elle de parler, de dire les mots qui me fuyaient. Mais rien. Obstinément rien. Un mutisme pesant. Et notre transpiration dans sa petite chambre, les peaux collaient. Oui, nos odeurs, trop fortes à présent, trop lourdes dans l'air saturé. Il manquait une fraîcheur quelque part.

Robert, quand il racontait ses histoires, je ne l'écoutais plus. Je pensais à Mattilda, à notre rupture imminente, et absurde, puisque nous nous aimions. Lui aussi y avait pensé. Mattilda n'accepterait jamais mon départ, ni l'idée que je me m'installe, fût-ce pour quelques jours, chez ce vieux qui la dégoûtait, qu'elle exécrait. De toute façon, ça risquait de se prolonger jusqu'à la fin. Une fois qu'il me tiendrait, il s'habituerait, il n'avait jamais fait que ça dans sa vie, s'habituer, alors il ne me lâcherait plus. Je le savais. Je l'avais toujours su. Jusqu'à sa mort que ça durerait. Et il était capable de tenir un sacré bout de temps, le vieux, increvable sous ses allures de souffreteux. Oui, pour la dernière fois, et pour la première véritablement, j'avais hésité à renoncer. A l'envoyer promener, avec sa mémoire, ses folies, ses rancunes.

Sans Mattilda, je perdais le futur. Et son corps, sa fougue. Et ses rêveries. Elle était très belle, Mattilda. Il aurait fallu la mériter.

XXI

A Mattilda, j'aurais bien essayé de lui expliquer pourquoi je devais partir. Que cela ne dépendait pas de moi. Que je l'aimais. J'aurais pu trouver les mots, parce que je m'étais préparé, j'y avais longuement pensé, mûri des arguments. J'avais étiqueté les sentiments qui circulaient en moi, et même si c'était très compliqué j'avais trouvé un fil. Mais à quoi bon ? Cela n'aurait qu'aggravé le cas, elle aurait pensé que je mentais, ou que je me moquais d'elle. J'étais pourtant allé la voir, sous le prétexte de quelques affaires à récupérer. Rien dont j'eusse véritablement besoin, en fait, puisque j'avais déjà, deux semaines auparavant, transféré l'ordinateur chez Robert. Et l'essentiel, je l'avais dans ma mansarde, où Mattilda n'avait jamais voulu dormir, bien que le lit y fût plus grand, et le confort supérieur. Des idées de fille. A cause des voisins, qu'elle disait. Non, si j'étais allé prendre ces deux ou trois livres, et des habits, des photographies aussi, c'était pour lui signaler que je déménageais. Que je ne viendrais plus le soir, qu'il ne faudrait plus m'attendre. J'avais préféré ne rien lui dire, ne pas la laisser des heures dans mes phrases, après mon départ. Mais au moins fallait-il qu'elle sache, qu'elle devine, sinon elle se serait fait du souci, elle aurait recommencé à se ronger les ongles. Peut-être qu'elle s'y remettrait de toute façon, à se ronger les ongles.

Lorsqu'elle m'avait ouvert la porte, elle n'avait pas pu masquer sa surprise. Nous avions essayé de nous regarder, mais n'y étions pas parvenus. Pas vraiment. Nous avions les yeux de tous les jours, et pas ceux que nous nous étions réservés l'un pour l'autre. J'espérais qu'elle parlerait, c'était le moment ou jamais. Elle avait juste lâché un « oui », ou un « ouais », peut-être un soupir, j'avais le dos tourné, cherchant un livre, mon livre de chevet, auquel j'avais finalement renoncé, mieux valait, je n'aurais plus pu le lire ailleurs, et à quoi bon lire à présent ? Tout n'était plus qu'une question d'attente, de patience ; que le vieux meure.

Avant cela, il fallait partir, quitter Mattilda. Je n'étais plus tout à fait conscient des secondes qui s'écoulaient, j'aurais voulu fermer les yeux. Et puis j'avais failli l'embrasser. Non par habitude, mais parce que j'en avais envie, un soudain besoin. Sur le palier, j'aurais voulu lui dire que je l'aimais, que je reviendrais, après, bientôt. Je n'allais pas en prison, j'aurais des heures libres, ça n'empêcherait rien, si on y réfléchissait bien. Elle avait déjà refermé la porte.

XXII

Je m'étais installé dans la chambre d'amis, en haut, j'y serais plus tranquille, et presque indépendant puisqu'on pouvait y accéder directement par un escalier extérieur. Après quelques jours, je m'étais rendu compte que ça occuperait presque tout mon temps, d'être là. Le plus éprouvant était le flou de mon horaire, de ma fonction. Robert ne me demandait que peu de services, des courses, un bricolage, le reste du temps je pouvais lire, c'est-à-dire j'aurais pu lire, parce que je n'arrivais pas à me concentrer, à oublier Mattilda. Ou j'aurais pu écouter de la musique, mais les journées passées à tourner le potentiomètre et à chercher les volumes sonores corrects, ceux qui lui convenaient à lui, m'avaient dégoûté de ses appareils, de ses disques, du moindre accord. D'ailleurs il me faisait rire ! Pourquoi n'avait-il pas adopté le système laser, comme tout le monde ? Il n'aurait plus rencontré de problèmes d'usure, peut-être même en existait-il un avec ordinateur incorporé, qui lui eût effectué les calculs à sa place !

Dans ces conditions, les premiers jours, les premières semaines, je ne réussissais pas à meubler les blancs, à trouver mon rythme. Je dormais beaucoup, je rêvassais, j'essayais de faire le point. J'aurais voulu comprendre pourquoi j'en étais arrivé là. Avais-je effectué le bon choix ? Je cherchais les tournants, les moments décisifs de cette histoire ; je me livrais à un bilan méthodique. Au bout d'un certain temps, dix jours, je m'étais arrêté, parce que j'allais finir par classer ma vie entière, ses périodes, ses bonheurs, ses déceptions, et de toute façon je n'arrivais pas à étaler l'ensemble en une seule vue, les synthèses rataient, je perdais les fils, ça ne valait pas la peine. Robert, je le voyais rarement. Peut-être cherchais-je à l'éviter. Plus probablement faisait-il en sorte de me rencontrer le moins possible, pour ne pas changer l'ordre et le ton de ses journées, pour maintenir son équilibre solitaire.

Très vite j'avais cherché à revoir Mattilda. Dans l'espoir d'obtenir un répit, son pardon, de m'expliquer au moins, cette séparation résultait d'un malentendu, d'un défaut de parole. Je lui aurais peut-être parlé de la mémoire, de mon héritage. Jamais je ne lui en avais fait état, par peur de trahir un secret, d'éventer une magie, et d'ainsi rendre impossible l'opération. Mais elle était partie, Mattilda, en vacances, ou chez ses parents, à la montagne. Ou ailleurs. La concierge n'avait pas reçu de message, ni d'adresse, elle ne savait même pas si elle reviendrait, la petite, parce qu'elle avait embarqué toutes ses affaires. Ces étudiants, on ne pouvait jamais être assuré de les revoir, ça venait, ça s'en allait, de vrais nomades ! Cette vieille folle avait fini par me regarder d'un drôle d'œil, avec toutes mes questions, elle avait bien dû se rendre compte qu'elle était triste, perdue, Mattilda, ces derniers temps ; que quelque chose de grave lui arrivait. Qu'allait-elle imaginer ? Je l'avais quittée en pleine phrase, pas de place dans ma tête pour retenir ce qu'elle me dirait, ça ne pouvait, ça ne devait pas m'intéresser.

Il faisait épouvantablement chaud, et ce n'était encore que le matin. Heureusement, au marché couvert, j'avais trouvé la fraîcheur grâce aux ventilateurs et réfrigérateurs. De voir tous ces légumes, ces fruits, ces viandes, volailles, cette orgie de couleurs, d'odeurs, de cris, de rires, ça m'avait retapé le moral. Un peu. Je le comprenais, Robert, de venir ici tous les matins, c'était un spectacle enchanteur, joyeux, et puis ça donnait envie de faire la cuisine, d'inventer des plats, des assortiments. Le plus fascinant, c'était le secteur des poissons, il y en avait de toutes les couleurs, avec les formes les plus invraisemblables, certaines que je n'aurais jamais osé imaginer, bigarrés de dessins très fins, presque ciselés, variant de teinte et d'éclat à la lumière.

Ma première réaction avait été d'en acheter un ou deux, pour essayer, pour changer, mais le vieux ne voulait pas manger de poisson en été. Il se méfiait de la qualité, des transports, surtout qu'il était délicat des intestins, complètement détraqué en fait, ça avait débouché sur une conception et des exigences très précises par rapport à la marchandise ; les listes qu'il me dressait débordaient de recommandations, d'annotations, mille détails qui prévoyaient tout et ne me laissaient aucune marge d'initiative. J'avais donc renoncé au poisson, et m'étais fait une raison, inutile d'insister, il avait ses idées bien arrêtées, ça me fatiguerait moins d'obéir à la lettre que d'encaisser ses reproches ou ses commentaires, ou même ses félicitations, ce qui était déjà moins probable parce qu'il avait toujours un mot à dire, une nuance à apporter, une correction à proposer. Petit à petit, j'avais renoncé à la parole, je me contentais d'écouter, surtout quand il partait dans ses grands discours, ou qu'il récitait des textes, le soir, dans le jardin, il avait une voix plus envoûtante encore à reprendre les phrases des autres. Oui, il avait une très belle voix, Robert, avec un registre large. Je l'avais remarqué en l'entendant chanter, tous les jours en fin d'après-midi, lorsqu'il se rasait.

A cette nouvelle vie, un intermède plutôt, je m'y ferais. Il le fallait bien. Je m'étais mis à lire de fond en comble les quotidiens locaux, c'est-à-dire ceux de la veille, une fois que Robert les avait consultés. Plus tard, c'était déjà l'arrière-été, on avait davantage l'énergie d'entreprendre quelque chose, j'avais commencé à écrire un journal, pour tuer le temps. Pour voir si je me souviendrais mieux. Aussi pour parler, malgré tout.

LE JOURNAL

6 septembre

Un vendredi, ça tombe bien : j'aime ce jour, avec la magie de la détente proche, une excitation joyeuse avant la consommation, décevante le plus souvent, des plaisirs du weekend, de l'oisiveté. Une sorte d'accélération, liquidation des affaires, des urgences, précisions, provisions, anticipations. Comme si on aspirait beaucoup d'air avant de retenir son souffle. Ou le contraire.

Ce matin, je suis allé dans une papeterie du centre, acheter un cahier pour écrire ce journal. Il y en a, des vieux cahiers vierges, chez Robert, et des luxueux, de première qualité sans doute, mais j'en voulais un à moi, rien qu'à moi. Cela m'a pris du temps pour le choisir, j'en cherchais un à pages blanches, mais les seuls du genre absorbaient trop d'encre, c'eût été impossible d'écrire à la plume. Et je n'ai jamais supporté le stylo à bille. A cause du bruit indécis qu'il produit au contact du papier. A cause de la fatigue aussi, ça ne glisse pas bien, ça s'enfonce. Sans parler des taches, petites bavures imprévisibles, répugnantes.

En fin de compte je me suis résolu à prendre un cahier à lignes, heureusement espacées et discrètes. Assez discrètes en tous les cas pour d'emblée ne pas m'imposer leur contrainte. J'ai opté pour un grand format, qui était aussi le plus mince. Et il a plutôt belle allure, avec sa couverture noire, granuleuse et mate. Surtout, j'en viendrais vite à bout. Parce que des journaux, j'en ai commencé toute une série, sans jamais trouver l'obstination pour les prolonger au-delà de quelques petites semaines.

Le magasin était voisin de chez Mattilda. J'ai hésité. Et puis je n'ai pas résisté. Par curiosité autant que par désir d'elle. En choisissant cette papeterie, pas même la plus réputée, je savais que j'irais rôder autour de sa maison, que je la chercherais. Elle n'est pas encore rentrée. Elle n'a pas donné de nouvelles, ni laissé de message. « Pas là », a répété la concierge. C'est à peu près tout ce qu'elle m'a dit, d'un ton agressif, exaspéré. Comme si j'étais responsable. Comme si elle m'en voulait. Une vraie concierge, décidément.

Avec tout ça, j'ai mis plus de temps que d'habitude, et j'étais en retard pour le repas. Robert était furieux. Il ne supporte pas le moindre déplacement dans ses horaires, ça lui perturbe tout le reste de la journée. Une véritable scène. Il a fini par me bombarder de questions, sur ce que j'avais bien pu faire pour rentrer à ces heures. Lorsque je lui ai avoué mon détour, Mattilda, son absence, il a d'abord ri, cruellement ; puis il est entré dans une rage indescriptible. Il m'a menacé. Parfois il est vraiment fou. Tout à l'heure encore, il est venu m'avertir qu'il ne consentirait plus aucun écart par rapport à la vie qu'il comptait dorénavant m'imposer. Je lui ai tout de même répondu que je n'étais pas son esclave. Mon ton a dû le surprendre, il est parti sans rien dire. Le dîner s'annonce charmant.

7 septembre

Hier, je ne lui ai pas parlé de mon projet de tenir un journal, au vieux. Parce qu'il est indiscret. J'ai déjà remarqué une ou deux fois qu'il allait fouiller dans mes affaires, en mon absence. Il voudrait tout savoir. Il a toujours tout voulu savoir, consacrant sa vie entière à cela. Mieux vaut ne parler de rien, pas même du cahier, ça lui aurait mis la puce à l'oreille.

Il fait à nouveau chaud. Encore plus qu'avant. Et humide, on respire avec difficulté, dans un corps moite qui colle à tout. Robert a passé la journée allongé sur le divan du salon, dans l'obscurité des volets clos. Il ne sort plus, depuis cette canicule sans fin. Pas même dans le jardin, sinon le soir, longtemps après que le soleil s'est couché.

Nous sommes convenus que j'irais aux provisions tous les deux jours seulement, tant il fait lourd, et que le reste du temps il se ferait apporter ses journaux à domicile. De cette lecture quotidienne, il ne pourra jamais s'en passer, quand bien même il se contente de survoler la plupart des pages. Souvent il s'endort au milieu d'un article. La sieste, bruyante.

Je mange trop, par désœuvrement. Et malgré la chaleur. Je cours toute la journée après un peu de fraîcheur, d'élan. Nous buvons beaucoup, ce dont je n'ai pas l'habitude. Ma chambre est agréable jusqu'au déjeuner, ensuite la chaleur du toit et les lenteurs de la digestion la rendent étouffante, impraticable. Je me réfugie alors dans l'escalier de pierre ; ou à l'ombre d'un arbre, plus tard dans l'après-midi. Le soir, nous sommes infestés de moustiques. Beaucoup plus qu'en ville.

8 septembre

Je déteste le dimanche, triste, et mort. J'aperçois, à travers la haie, des familles qui partent en promenade. Mol ennui. Toujours cette impression que les gens ne profitent pas de leur temps libre, qu'ils le laissent bêtement filer. Leur vie aussi, qui pourrait se résumer à une longue attente, pour quelques moments forts, trop rares. Et encore, le plus souvent, ils ne les saisissent pas, ces moments-là. Plus tard seulement, ils se disent que c'était bien, ou beau, ou sympathique, ou poétique. En fait, il n'y a presque personne *dans* le présent. Nous nous emmerdons tous. Mais on s'est amusé, on s'amusera.

Moi, c'est pire encore. Pas dans le coup, ni dans le temps, le *tempo*. Au moins je le sais. Et pour l'instant je n'y peux rien. Les situations s'enchaînent trop vite, et tout avec, j'en perds la moitié, ça m'énerve, je panique, et j'en perds encore plus. Ce qu'il faudrait, ce qu'il aurait fallu dès le début, c'est pouvoir revenir sur les événements, les revivre après réflexion. Mais voilà, impossible de vivre à nouveau, comme si c'était frais, et neuf. L'idéal, c'est une capacité à vivre directement les choses avec réflexion, à saisir immédiatement les enjeux, les reliefs. Pour cela, il faut la rapidité, comme Robert, plein de présent et de passé, de présent parce que de passé. Mais c'est rare.

Le dimanche, ce problème de la présence, on le sent mieux que les autres jours. Les gens tuent le temps, à se promener, à bouffer, à rouler, en attendant de trouver un rythme, de s'accrocher à un élan.

Depuis que je suis installé chez Robert, je réfléchis trop à l'ennui, à la tristesse des jours, des existences. Mais c'est plus clair qu'avant, les mots commencent à venir.

Et bientôt j'aurai la mémoire ! Une précieuse greffe. A Robert, le présent ne lui pèse guère, qu'il m'a dit. Il s'évertue à faire de sa vie un présent continu, prétendant que son passé est toujours régénéré, allégé, aéré, et donc modifié, quand il le fait revenir en mots, en récits improvisés. Il m'a expliqué tout ça, citant aussi des philosophes qui avaient réfléchi au problème. Je n'ai rien compris. Mais j'ai fait mine du contraire, sinon cela aurait duré des heures à parler. Lui, il est différent, il sait, et puis il est supérieur, c'est un génie dans son genre, ou un fou. Moi, je suis comme les gens du dimanche, je rate le présent, alors c'est un jour qui me déprime. Et depuis quelque temps, j'ai l'impression que les semaines sont pleines de dimanches.

En milieu de matinée il a plu, quelques minutes. Trop peu pour rafraîchir, et après il faisait plus chaud encore. J'ai bu trop de bière, puisqu'il n'y avait plus d'eau.

Ce qui manque, c'est la télévision. Je ne la regarde jamais beaucoup, mais c'est le fait de savoir que je pourrais effacer une heure ou deux, devant un film policier par exemple, ou une stupide série. A défaut, j'écris, et ça me fatigue. Je fais trop long, avec d'inutiles détails. Un journal, ça devrait être plus court, concis. Mais je ne parle pour ainsi dire à personne, alors il faut vider un peu ma tête. Je n'ai jamais autant réfléchi de ma vie, ni rêvé ni analysé. C'est peut-être le voisinage des livres. Ou de Robert.

Le dimanche, je pourrais sortir, il n'y a pas de commissions à faire. Mais je n'en ai pas même eu envie. Paresse. La chaleur aussi.

9 septembre

Ce matin, au pas de course malgré la chaleur, pour ne pas me mettre en retard sur mon horaire, je suis allé sonner chez Mattilda. Personne n'a répondu. En redescendant je suis tombé sur sa logeuse, qui avait dû me voir passer. Elle m'a déclaré qu'elle attendrait encore une semaine, mais qu'ensuite elle relouerait si elle ne recevait pas de nouvelles de la petite. Comme si c'était mon problème ! Je n'ai rien à lui dire, à la vieille. Aucune explication à lui fournir. Mais c'est vrai que si Mattilda doit changer d'adresse, je ne saurai peut-être plus jamais où la joindre ? Ce ne sont pas ses parents qui m'aideront, ils n'ont jamais voulu entendre parler de notre relation, soi-disant que j'étais un instable, à mon âge je n'avais pas encore été foutu d'obtenir un diplôme, de toute façon une jeune fille n'avait pas à s'installer avec un homme, concubinage, tout le baratin bien-pensant, la baise après le mariage, ou au moins que ça ne se sache pas. Non, il ne faudrait pas compter sur eux pour me la donner, sa nouvelle adresse. Je n'essaierais même pas de téléphoner. Et des amis communs, avec Mattilda, nous n'en avions pas. Elle a toujours prétendu que c'était préférable, à chacun sa sphère, sinon nous nous lasserions vite l'un de l'autre, nous perdrions tout mystère, toute réserve. D'ailleurs ils n'avaient pas l'air sympathiques, ses copains, ni ses copines, tous des enfants gâtés, ou trop sérieux. Zélés et proprets. Des gosses. Des cons. Elle ne supportait pas mes commentaires à leur propos. Au fond, ça l'ennuyait que j'aie raison. Ces amis, j'en étais sûr, devaient parfaitement ressembler à ses parents, à sa famille, monde aseptisé et discipliné. Tout le contraire d'elle, malgré les apparences. Car Mattilda, quand elle se déchaîne, ça y va. Je l'aime pour ça, aussi. Notre séparation est décidément aberrante. Un caprice du vieux. Une réaction puérile. Je voudrais la revoir.

Les cours ne reprendront que plus tard, dans un mois et demi, mais je m'inquiète. Les autres années, elle revenait assez tôt, pour se préparer. Studieuse à sa façon, la petite. Elle en profitait pour se faire une cure de cinéma, avec l'argent économisé pendant l'été. Car elle adore ça, le cinéma, et dans sa campagne retirée, avec tous ces ploucs, elle en aurait été sevrée. Il n'existait qu'une seule salle, où l'on projetait des navets, des films américains aux grosses ficelles, ou les comiques trop vulgaires pour faire rire. Septembre était sa revanche. Moi, j'aimais bien l'accompagner. Mais seul, ça m'ennuie d'y aller, au cinéma. Je pense à autre chose, ou je ne saisis pas le sens du film, j'ai toujours l'impression qu'il y a une intention ou une dimension cachée qui m'échappe. Mattilda, elle m'expliquait tout, elle avait toujours une réponse, une interprétation, un rapprochement, je me demandais où elle allait chercher des idées pareilles, mais parfois c'était convaincant, presque merveilleux.

Cet après-midi Robert a tourné en rond dans la maison, agacé et maladroit. C'est peut-être l'orage, d'une violence inouïe, qui s'est abattu sur la ville. Il a plu si fort que l'escalier d'accès est envahi par la boue, et donc impraticable pour lui. Il espérait qu'un rafraîchissement de température lui permettrait de reprendre ses balades matinales, le marché, les quais, le glacier, après plusieurs semaines de claustration. Alors, de constater qu'il devait encore différer sa sortie, ça l'a enragé. Je dois dire que depuis quelques jours, il en faut peu pour l'exaspérer. Les changements de temps le font particulièrement souffrir. C'est l'âge, mon vieux. Moi, je respire mieux, enfin. J'aurais voulu aller faire un petit tour, plus tard dans la journée, mais il s'est remis à pleuvoir, à flots. J'ai même dû fermer toutes les fenêtres, à cause du vent qui rendait la pluie indiscrète. Ce soir, j'écrirai un mot à Mattilda, pour le laisser devant sa porte. Qu'elle sache où me contacter, au moins. Cela m'évitera de devoir aller trop souvent chez elle.

10 septembre

La concierge m'a surpris quand je glissais ma lettre sous la porte de Mattilda. Toujours à guetter, décidément. Elle m'a tenu la jambe pendant un quart d'heure, m'expliquant avec insistance que c'était à elle, et à elle seule, qu'il fallait remettre le courrier. En conséquence de cela, j'étais à nouveau en retard. Mais j'ai pu prétexter la nécessité de passer par la route, un long détour, car les escaliers étaient trop dangereux après toute cette pluie, et les marches imperceptibles. J'avais acheté du poisson, puisqu'il faisait plus frais, c'était l'occasion, nous n'en avons jamais mangé depuis mon arrivée dans cette maison. Eh bien, mon initiative ne lui a pas plu du tout, à Robert. Il a même paru indigné. Et il a commencé à m'enguirlander, pour qui je me prenais, qu'il était seul à décider, d'ailleurs il n'aimait pas le poisson, après ça puerait dans toute la maison, il faudrait changer de vêtements. J'ai eu envie de lui dire qu'il n'avait pas toujours été aussi délicat quant aux odeurs, et qu'avant que je fasse les grands nettoyages, sa maison était un vrai taudis, qu'on y suffoquait dans les miasmes de la vieille graisse et crasse, etc. Mais il valait mieux ne pas insister, ni répliquer, ne surtout pas jeter d'huile sur le feu.

Du poisson, il en a finalement mangé, avec une petite bouche ampoulée, certes, mais il a pris largement sa part. Je veux bien faire la cuisine, comme il me l'a demandé dès les premiers jours. Pourtant, dans ces conditions, ça devient décourageant. J'aimerais au moins pouvoir improviser parfois, essayer des plats. Mais avec lui, rien, pas de marge, il prévoit tout, jusqu'aux quantités. Et il formule toujours un reproche, un regret. Me voilà une petite ménagère rudoyée : ça devient ridicule ! Un de ces jours, je vais exploser.

11 septembre

La trêve n'aura pas duré. La chaleur est revenue, plus étouffante qu'avant, et pas un gramme d'air. Robert est plongé dans une douloureuse léthargie. Les mouches ont envahi le salon, il faudrait à nouveau nettoyer à fond, mais avec ce temps tout effort semble démesuré, il faut patienter. Les heures sont longues. Pas même la force de lire. Cerveau embué.

12 septembre

Toujours la vague de chaleur. Plus au sud, on a déjà compté quelques dizaines de morts, des personnes âgées qui ont succombé à ce caprice saisonnier. Record historique, paraît-il. Robert n'est pas rassuré, ça le rend presque gentil, surtout depuis hier, lorsqu'il a lu qu'il y en avait encore pour plusieurs jours. Moi, ça m'arrangerait presque, qu'il crève, avec son fichu caractère, irascible et autoritaire, maniaque. Il connaît beaucoup de choses, c'est certain. Mais lorsque je l'aurai intégré, son savoir, j'en ferai un meilleur usage ! Je vais un peu l'aérer, le réactiver. J'en donnerai aussi à Mattilda, pour me faire pardonner. Oui, Mattilda. Toujours pas de nouvelles.

13 septembre

Allé à la pharmacie, chercher un remontant pour le vieux, en piteux état. J'ai ramené des provisions de chez l'épicier, en passant. Arrivé ruisselant de sueur. Migraine. Robert aussi.

15 septembre

Encore une matinée très chaude, mais beaucoup moins humide. J'ai repris mon parcours habituel. Robert voulait sortir lui aussi, mais il a aussitôt rebroussé chemin : il doit reprendre des forces, après cette véritable purge. Mattilda n'est toujours pas rentrée, sa logeuse a quand même décidé d'attendre la fin du mois avant de relouer, parce que avec la chaleur des derniers jours, la petite a peut-être décidé de prolonger son séjour à la campagne. C'est vrai que c'est en ville qu'il fait toujours le plus lourd, les vents sont peu citadins en été.

Quand je rentre, Robert me traque toujours de questions, comme s'il voulait me faire payer mes sorties. Il sait que je n'aime pas les questions. Je le lui ai dit, probablement. Ou il s'en est rendu compte, il ne faut pas être bien malin pour cela. Il reconstruit ainsi chaque minute de mes parcours. A la fin, je me suis emmêlé dans les phrases, dans les temps, la succession, j'ai bien dû admettre que j'étais retourné chez Mattilda, parce qu'il l'avait méthodiquement déduit, une véritable araignée, et moi pris dans sa toile. Il connaissait trop bien la ville, et savait que si j'avais passé par telle ou telle rue, c'est que vraisemblablement j'avais fait le détour par la maison de Mattilda.

En tous les cas il a retrouvé toute son énergie pour hurler, je ne comprenais même plus ce qu'il disait. Un fou furieux. Au début, c'était le sermon habituel, puis le chantage, les ultimatums. J'en ai presque pris l'habitude. Je n'ai pas réagi, ou pas comme il s'y attendait, ce qui a dû l'exciter encore. Il a dépassé toutes les bornes, de grossièreté, de haine, jamais je ne l'ai vu ainsi. S'il m'avait invité à m'installer ici, c'était pour me préparer à sa mémoire, au savoir, mais aussi et avant tout pour me préserver, pour me séparer de cette sale petite garce, elle respirait l'imbécillité, ça se voyait d'un seul coup d'œil, crétine par tous les pores, mesquine, une salope, une truie, qu'est-ce qu'elle pourrait m'apporter, une suceuse, à tout vouloir prendre et ne rien donner, et ça se permettait ensuite de prendre des grands airs, baveuse de prétention, butée, etc. Je n'ai pas écouté la suite. Je suis pourtant resté là, figé. Fatigué. Ces courses, le chaud, ça fait plusieurs nuits que je dors mal. Et à quoi bon ? Mattilda, il ne pourra jamais comprendre tout ce qu'elle offre, tout ce qu'elle incarne. Elle est le futur, la vie, la fantaisie. Lui, malgré ses beaux discours, il est le passé, poussiéreux. Et bientôt la mort, j'espère.

En définitive, avec Mattilda, nous formerons une sacrée paire, quand il aura crevé, le vieux. Passé, présent, futur réunis. Nous pourrons baiser dans l'infini. Des étreintes absolues. Parce qu'il ne va pas tarder à y passer, Robert, avec toutes ses maladies, surtout si les saisons donnent un coup de pouce. Un hiver bien sévère, et brutal, pourrait l'achever.

16 septembre

Robert est maussade, depuis hier soir. Il doit regretter ses propos, puisqu'il n'aime pas la vulgarité, surtout en paquet. Il m'a parlé d'un éventuel voyage, deux ou trois jours, nous pourrions partir sous peu. Cela nous ferait du bien à tous les deux. Nous irions surtout chercher le frais, le vent, un temps sec, car l'orage menaçait à nouveau, depuis l'aube, sans éclater.

A mon retour de ville, chargé d'emplettes parce qu'il fallait refournir la réserve, il ne m'a posé aucune question. Il faut dire que j'avais fait vite, sans détour. J'étais largement dans les temps.

25 septembre

Nous avons séjourné pendant près d'une semaine dans des petites villes de montagne, au nord, des endroits perdus entre les sommets, à l'écart des grands axes et des autoroutes. Je suis exténué, d'avoir conduit en particulier, les sièges de la voiture m'ont scié les reins. Au retour, il a fallu faire quelques achats, avant que les magasins ne ferment. Et ce soir, il faudrait encore préparer un repas, consistant, puisque nous avons souvent grignoté ces derniers jours, et que Robert en a marre, il veut un véritable dîner, avec plusieurs plats.

Le frais de la montagne l'a tout de suite retapé, et mis de bonne humeur. Il a même accepté de découvrir des endroits inconnus de lui jusqu'alors, de se laisser surprendre, ce qui ne lui était plus arrivé depuis au moins dix ans, a-t-il précisé. Depuis qu'il avait estimé avoir suffisamment exploré et qu'il avait délimité le monde à ce qu'il en avait vu, une fois pour toutes. De la sorte, ses classements, la plus belle ville, la plus belle église, une ruelle tortillarde, que sais-je encore, tout cela atteignait à la fixité, son ordre revêtait un caractère définitif dans lequel il pourrait ressasser calmement ses souvenirs. A quoi s'ajoutaient les références et les lectures, tel écrivain, tel peintre ou architecte, un cardinal diplomate, étaient nés là, avaient séjourné ici, et décrit cela, négligé tel aspect, immortalisé tel autre. Il se souvenait du moindre détail. Alors j'étais content dans les lieux nouveaux, vierges d'une certaine façon. En principe, il ne connaissait rien, ou presque rien, à leur propos. C'est peut-être pour cela qu'il ne les avait jamais visités. Et il se taisait, enfin. Comme s'il avait eu peur, d'ouvrir les yeux, de déranger l'ordre de sa mémoire, toutes ces sensations nouvelles à classer. Il a pris des notes, parfois, acheté des dépliants, des cartes postales, et depuis ça doit le travailler, tout ce butin imprévu, il ne sait qu'en faire. Moi, je me suis au moins reposé la tête, des grands bols de silence, juste déchiré, rarement, par le bruit d'enfants qui sortaient de l'école, des rires, des cris, mais rien à comprendre, rien à engranger.

Pendant le voyage du retour, comme pour compenser, ou se rassurer, ou se venger, il m'a saoulé de commentaires, d'anecdotes, de récits, à propos de chacune des villes que nous traversions, ou que nous voyions indiquées sur des panneaux. Et quand je suis rentré des courses, tout à l'heure, il triait ses nouveaux documents, concentré à les ingurgiter, impatient de les assimiler. Il va préparer de nouveaux discours, élargir son répertoire, et bientôt il va me servir tout ça. Encore des mots, des mots à n'en plus finir.

26 septembre

J'ai faim. Il est une heure et demie, je n'ai rien cuisiné. Il n'a qu'à se débrouiller. Et je préférerais crever d'appétit toute la journée que de lui demander à manger, ou d'aller me servir dans *son* frigidaire, dans *sa* cuisine.

Ce matin je suis allé chez Mattilda. Depuis le temps, sans nouvelles, j'étais inquiet, ou impatient, c'est la même chose. La concierge m'a dit qu'elle n'était pas là, qu'elle ne serait plus jamais là. Il y avait de la rage dans sa voix, j'ai cru qu'elle allait se mettre à pleurer. Elle aura reçu un mot, ou un coup de téléphone. Mais elle n'a rien voulu me dire de plus. « Pas là », elle n'avait que ces mots dans la bouche, la vieille casserole. C'est qu'elle l'aimait bien, Mattilda, une fille honnête, souriante. D'ailleurs tout le monde l'aime, Mattilda. C'est vrai qu'elle est gentille, et toujours disponible, bienveillante. Moi, par contre, elle ne m'aime pas, la concierge. Elle ne m'a jamais aimé, malgré ses risettes et ses papotages, à l'époque où je vivais encore là. Une hypocrite. Mais à présent, fini. Elle doit penser que je suis seul responsable de l'absence, du départ de Mattilda, que j'ai tout foutu en l'air. Ou peut-être Mattilda l'a-t-elle prévenue de ne pas me communiquer son adresse, qu'elle ne voulait plus me voir, plus jamais ? J'aurais voulu insister, mais j'ai vite senti que ça lui faisait trop plaisir, à la vieille, de ne rien me dire.

J'ai encore fait un tour dans un square pour me remettre du choc, d'avoir subitement compris que je l'avais vraiment perdue Mattilda, que ça n'avait plus rien d'une mauvaise plaisanterie. En rentrant j'ai voulu inventer une histoire au vieux, lui cacher à tout prix qu'elle était partie. J'avais peur que ça le réjouisse, que ça déclenche son mauvais rire. Mais en même temps j'étais à bout, effondré, révolté. A la troisième ou quatrième question, posée de son ton perfide, j'ai craqué. Je lui ai dit où j'étais allé, que c'était sa faute si elle s'était enfuie, je crois même que j'ai commencé à l'insulter, ou à le menacer, ou peut-être à pleurer. Et lui, il a hurlé encore plus fort, bien sûr, avec la voix qu'il a c'est facile, j'étais perdant d'avance. Il a dit qu'il n'en avait rien à secouer de cette gamine, que c'était très bien ainsi, très très bien, qu'elle nous avait assez emmerdés, et si je n'étais pas content, ou si je voulais continuer à miauler après cette idiote, je n'avais qu'à foutre le camp, dégager *illico,* sa mémoire je pourrais alors me la mettre où il pensait. Drôle d'image, quand j'y repense ; ça m'a cloué le bec, selon l'expression. Je suis resté tout interdit. Puis je suis parti en claquant la porte, enfin je n'en suis plus très sûr, ça s'est passé si vite, si mal, mais je suis parti dans ma chambre, il ne me reverra plus de la journée. Je ne suis pas sa bonne, après tout. Et Mattilda, il n'a pas le droit de l'insulter. Ce n'est pas parce qu'il n'a rien compris à ce qu'elle est, à son monde, qu'il doit se croire tout permis. Et avec sa mémoire, il commence à me chauffer.

27 septembre

Robert ne m'a pas adressé la parole de toute la journée. Au début, c'est reposant. Mais ça commence à me manquer. Presque.

Ce matin, il a enfin pu reprendre ses habitudes, la promenade matinale, le marché, etc. Il fait chaud encore, mais sec à présent. La radio a annoncé que le temps ensoleillé se maintiendrait jusqu'à la fin du mois d'octobre, mais qu'on ne connaîtrait plus de grosses chaleurs. Il a dû respirer un bon coup en entendant cela, le vieux. Je crois bien qu'il a eu peur d'y passer, à un certain moment.

La porte d'accès direct à ma chambre par l'escalier extérieur est dorénavant fermée à clé. Je m'en suis rendu compte par hasard, cet après-midi, parce que je ne voulais pas rencontrer Robert en sortant faire quelques courses. De toute façon, je ne m'en servais jamais, de cette indépendance. S'il croit me toucher ainsi... En passant j'ai souri dédaigneusement, mais sans le regarder. L'aura-t-il remarqué ?

3 octobre

Pas parlé au vieux depuis une semaine. Lui, il ne s'adresse à moi que pour me donner des ordres. Ecrire ce journal me fatigue, j'ai perdu l'allant, la frénésie des premiers temps.

Ici, c'est un peu la routine. En définitive, j'attends qu'il crève, Robert, que je puisse profiter de tout ce savoir accumulé et rangé. Jusque-là, il faudra tuer le temps.

4 octobre

Je pense au ralenti, comme toujours. Mais même ça, j'ai de la peine, un certain ennui aussi, à l'écrire. Je passe des heures pour quelques lignes, des banalités, et les phrases ne tournent pas bien, c'est maladroit. Alors je continue, simplement pour aller de l'avant, dans l'espoir que j'arriverai bientôt à m'exprimer, à trouver les mots, à articuler des idées, de plus en plus complexes.

Aujourd'hui le vieux m'a reparlé, comme ça, mine de rien, tout gentil. Il est vraiment incroyable, ce bonhomme. Mais il s'arrange pour que je n'aie plus à sortir, ou le minimum. Comme il fait à peu près frais à présent, il a repris ses longues tournées matinales, et c'est lui qui s'occupe de prendre au passage ce qu'il faut pour les repas du jour. Moi je ne me charge plus que des réserves, des achats en gros. Ainsi que de faire la cuisine, bien entendu.

5 octobre

Je ne suis pas sorti, et n'ai pour ainsi dire pas ouvert la bouche de toute la journée. Après le déjeuner, pendant près de deux heures, le vieux s'est mis à raconter des histoires d'autrefois, des aventures qui lui seraient arrivées dans sa jeunesse. Avec tous les détails, et des digressions. Il ne doit pas aimer les lignes droites, une véritable folie des détours.

J'ai eu à plusieurs reprises le sentiment qu'il inventait, qu'il brodait. Parfois sa propre vie, ses souvenirs intimes, doivent se mélanger avec ses lectures. Ou simplement il est menteur. Pour se mettre en valeur, arranger les enchaînements, susciter la surprise, l'admiration, l'envie. Comme lorsqu'il parle des femmes qu'il a connues. Il emploie toujours les plus beaux adjectifs, des métaphores affriolantes. Quand on voit sa gueule, ça surprend, on a des doutes, forcément. C'est la chose qu'il oublie parfois, sa laideur. Horrible, et il l'a toujours été, j'ai découvert une fois des photographies de jeunesse. Où il est fort pourtant, où il embarque son monde malgré des exagérations peu vraisemblables, c'est qu'il met toujours un peu d'humour, presque une ironie, dans ses propos, on ne sait jamais jusqu'à quel point il adhère à son discours.

6 octobre

J'ai reçu ce matin un gros paquet contenant les quelques affaires que j'avais laissées chez Mattilda. Je lui avais indiqué l'adresse de Robert, si elle voulait m'atteindre. Eh bien, c'est fait. Droit au cœur. Je ne la savais pas capable de cruauté, c'est mesquin ces envois, comme un adieu trop sonore mais sans possibilité de réponse. Je n'en avais pas besoin, de ces souvenirs, de cette rupture supplémentaire. Robert n'a pas réagi, il m'a simplement transmis le paquet, sans un mot. Ensuite mon teint pâle a dû le rassurer, le combler. J'ai voulu tout jeter à la poubelle, ou renvoyer, mais à quoi bon ? Mattilda je la reverrais bien un jour, nous nous expliquerions alors. Ce qui me fait peur, plutôt, c'est l'idée qu'elle puisse rencontrer un autre gars, se lancer dans une nouvelle histoire, m'oublier vraiment. Car je compte bien la retrouver, Mattilda, tôt ou tard. Dès que le vieux assouplira son régime. Ou qu'il crèvera.

Robert m'a prévenu qu'il aurait à nouveau un travail, long et méticuleux, à me confier, que je devrais lui consacrer entièrement mes prochaines journées. Il semblait préoccupé.

20 octobre

Je travaille sans arrêt depuis quinze jours. Pas même le temps de tenir ce journal. Il a fallu nettoyer tous les livres du pan de bibliothèque voisin de la salle de bains, ça en faisait bien un millier, je crois. Pourtant il n'y tenait pas tellement à ceux-là, d'après ce qu'il m'avait expliqué de son classement et de ses zones de préférence. Enfin, je ne les ai pas tous vraiment nettoyés, puisque tous n'étaient pas atteints, du moins pas également.

C'étaient des poissons d'argent, d'après lui, des petites bestioles, ou des bactéries, qui s'attaquent aux livres, s'en goinfrent, éliminent leurs couvertures. Toute atteinte à sa bibliothèque révolte aussitôt Robert. Cette fois, il s'en est aperçu par hasard, un livre qu'il aurait consulté en rentrant de voyage, pour vérifier un détail, effacer un doute, à propos de telle forteresse médiévale, ou d'une inscription sur un portique. Il a remarqué des taches comme insinuées dans le cuir ou sur le carton.

D'abord il a fallu passer une poudre sur chaque livre, avec un chiffon. Puis avec un pinceau, répandre un liquide prophylactique, avec soin et précision, sinon tout le travail serait à reprendre sous peu. Il m'a laissé assumer seul cette entreprise de sauvegarde, après avoir mené les analyses nécessaires et choisi les produits idoines. Mais pendant les quinze jours, il n'a pas arrêté de me surveiller, de me prendre en défaut au moindre livre négligé, bâclé. Cela me rendait nerveux, de sentir son regard attaché à chacun de mes gestes, anticipant mes paresses, lui confortablement installé dans un fauteuil. Heureusement, c'est fini. Il faut encore espérer qu'aucun autre pan n'aura été touché. Parce qu'il a commencé une inspection générale, volume par volume. Il vit dans la hantise de ces petites bêtes, à n'en plus dormir. Au moins, ça aère les livres, c'est déjà une bonne chose. Mais je ne comprends pas son acharnement. De toute façon, ces livres, il les a tous dans la tête.

24 octobre

Je n'ai plus revu personne depuis des semaines. Isolement total. Cela ne m'était jamais arrivé. En fait, je m'y habitue plutôt bien, j'y prendrais goût pour un peu. Mais avec Mattilda, c'est différent. Je ne passe pas une heure sans penser à elle, même lorsque je suis occupé. Les cours vont bientôt reprendre, elle est certainement rentrée, mais où la chercher ?

Il faut que j'abrège mes notes quotidiennes.

Avec ma trop grosse écriture, et toutes les lignes que je rature, j'ai bientôt fini ce cahier, sans pour autant avoir consigné grand-chose d'intéressant. C'est un peu décourageant.

Ces derniers jours, j'ai essayé de nouvelles écritures, des graphies plus harmonieuses que la mienne, heurtée et incertaine. Celle de Robert est fascinante, rapide et large, appuyée. Presque grasse. Mais je n'arrive pas à l'imiter, à retrouver le geste. Ou le rythme. Toujours une question de rythme, bien sûr. Lui, il pense plus vite qu'il n'écrit, alors sa plume a des allures de coursier, le trait est sans cesse propulsé. Tandis que moi, ça s'empâte, la plume n'a rien à suivre, aucun lièvre pour la stimuler. La pensée traîne derrière, confuse. Avec Robert, on n'a vraiment rien en commun. Cela va donner un drôle de mélange quand j'aurai hérité de sa mémoire. Peut-être acquerrai-je aussi l'élégance de son écriture ?

30 octobre

Les cours ont recommencé, je suis passé à l'Université relever les programmes, les horaires. Toujours cette bonne volonté du début de l'année, ça faisait sourire Mattilda, elle me comprenait, mais aussi elle regrettait, elle aurait peut-être voulu m'admirer, alors ce manque d'énergie, l'ennui qui me poursuivait, ces forces qui partaient tout de suite, ça la rendait un peu triste derrière son sourire. Elle a toujours dû penser que mon ordinateur, mes projets de mémoire électronique, c'était un alibi, une fuite. Elle sera bien surprise, le jour où elle me verra débarquer avec la mémoire du vieux... De toute façon, Robert m'a annoncé une nouvelle mission, il y en aurait pour quelques semaines. Il a ajouté que dorénavant, mes études à la faculté se révélaient superflues. Ce n'est pas un diplôme qui importe, mais *le* savoir.

Et Mattilda ? J'espérais la rencontrer, obtenir de ses nouvelles, son adresse. L'occasion aurait été bonne

13 novembre

Je manque décidément de discipline. Ce journal se creuse de plus en plus d'intervalles trop longs à raconter, à remplir.

Voici bientôt deux semaines que je passe le plus clair de mon temps à la Bibliothèque nationale, aux archives du sous-sol, pour relever des documents, sur des manuscrits à peine lisibles. Un patient travail de déchiffrement, je ne suis pas toujours bien certain de ce que je transcris, m'en remettant à la logique et au vraisemblable pour des textes qui ne s'y soumettent pas toujours. Ce sont le plus souvent des lettres, des correspondances entières, ou des cahiers de notes et croquis, des journaux intimes, ayant appartenu à des peintres, à des écrivains, et où se trouvent déposés les intentions, les hésitations, les remords de ceux-ci. Pour les dessins et schémas, Robert m'a demandé de les reproduire au mieux, ou de les calquer, mais c'est interdit et le bibliothécaire est très attentif. La seule solution est de les décrire. Ce n'est pas simple. J'ai accumulé beaucoup de matière, selon les instructions et indications très strictes de

Robert, mais je me suis limité à copier, sans rien avaler pour mon compte, sans rien assimiler. De toute façon, ça me reviendra, je serais bien bête de perdre mon énergie dans une opération qui s'avérerait sous peu inutile. Mais à la longue, c'est un peu lassant, une activité trop mécanique. Il m'a pourtant semblé que tout devait tourner autour de cet intérêt bizarre chez Robert pour ce qu'il appelle la *dérobée*, ces documents, lettres ou visions, indiqués au spectateur et lecteur mais soustraits à sa connaissance. En tous les cas, le vieux est très excité par ces recherches, il a retrouvé un enthousiasme presque juvénile.

25 novembre

En sortant de la Bibliothèque nationale, tout à l'heure, j'ai rencontré Mattilda. Le long des quais. Enfin, je l'ai plutôt suivie, poursuivie. Je l'avais aperçue de loin, pas deux comme elle, avec ce léger élan presque sautillant qu'elle donne à chacun de ses pas. Lorsque je suis arrivé à sa hauteur, je n'ai plus su quoi lui dire, ni comment entamer la conversation. J'étais essoufflé, ça n'arrangeait rien. Elle ne m'a pas beaucoup aidé. Un simple « bonjour », neutre, indéchiffrable. J'aurais voulu obtenir son adresse, un rendez-vous aussi. Elle m'a répondu qu'elle préférait ne plus me voir, essayer d'oublier. Plus tard, éventuellement. Il fallait qu'elle réfléchisse.

J'aurais eu mille choses à lui déclarer, à lui raconter, et autant de questions. Des phrases que je préparais depuis des semaines, depuis cet interminable été passé loin d'elle. J'avais même trouvé des images assez belles, émouvantes. Mais la rencontrer comme ça, à l'improviste, et avec tout le travail d'une journée dans la tête, et les phrases des autres que j'avais recopiées, ça s'était mélangé, je n'ai pas trouvé les mots. J'ai simplement bredouillé deux ou trois formules, un malentendu, il fallait reprendre de zéro, dédramatiser. Elle a souri. De tristesse, je crois. Nous avons encore marché quelques mètres. Je cherchais un espoir, une ouverture. Elle a froncé les sourcils, doucement, pour m'inviter à me taire. Puis elle m'a fait un petit signe de la main, avec une drôle de mimique, incompréhensible.

Robert est complètement plongé dans ses recherches, il écrit beaucoup, et compare, son bureau est encombré de livres et documents. C'est à peine s'il m'a vu rentrer. Seul le paquet de notes que je lui apporte semble l'intéresser. Nous mangerons plus tard, il voudrait achever certaines lectures.

En définitive, ça m'arrange, cet affairement. Cela produit une plus-value sur la mémoire qui m'attend. Mais franchement, cette idée de s'occuper de ce qui n'existe pas, c'est un peu fou. Et si c'était par simple paresse, par impatience de finir, que les peintres ou les écrivains avaient négligé d'achever telle partie initialement prévue, de remplir toutes les cases du programme ? J'y pense depuis deux ou trois jours. Mais Robert ne voudra jamais envisager une pareille explication. Imprévu ? Négligence ? Pas possible ! Je l'entends déjà.

26 novembre

En fin de journée, j'ai traîné près d'une heure le long des quais, indécis, tendu. J'ai toujours cru que les choses se répétaient. J'espérais donc revoir Mattilda, qu'elle passerait peut-être ici, que c'était devenu son parcours habituel. Parce que avant, elle n'y venait jamais, à cause du vent et de la circulation.

J'avais préparé des phrases. Elle n'est pas venue. J'étais sorti plus tôt, pour ne pas la rater, au moins mettre toutes les chances de mon côté.

4 décembre

Toujours la copie, à longueur de journée. Heureusement je n'ai plus à chercher les volumes, le bibliothécaire s'en occupe. Il connaît bien Robert, qu'il m'a dit. J'aurais dû l'avertir dès le début, que c'était pour lui, il m'aurait aidé, il y a toujours des passe-droits. Je ne sais pas si Robert sera content d'apprendre que j'ai parlé de ses recherches avec cet homme. Il a des réactions si bizarres parfois, on ne sait jamais à quoi s'attendre.

Je sors toujours plus tôt, dans l'espoir de trouver Mattilda. Son image m'obsède ; dès la pause de midi, je ne pense plus qu'à elle. Mais rien, des heures d'attente pour rien. Peut-être évite-t-elle de passer par là, elle a bien dû se douter que je travaillais à la Bibliothèque nationale, que je la guetterais, que j'insisterais. Demain, j'irai traîner dans le quartier de l'Université, devant sa faculté.

5 décembre

J'ai quitté la Bibliothèque en début d'après-midi, sans avoir presque rien copié. Depuis quelques jours, je n'arrive plus à me concentrer. Fatigue, lassitude, c'est pénible de travailler sans but, sans motivation personnelle.

J'ai attendu jusqu'à quatre heures, cinq même, sur la terrasse du petit bar d'étudiants situé en face de la faculté de Mattilda. En vain. Mais maintenant, avec le trop-plein des effectifs, les cours se donnent un peu partout, dans des maisons rachetées par l'Etat, à gauche, à droite. Et je ne sais même pas quels cours elle a choisi de suivre, cette année.

Quand je suis rentré, avec ma seule page de notes, le vieux est devenu comme fou. Il a hurlé. Que ça faisait plusieurs jours que je ne foutais plus rien, on ne pouvait pas compter sur moi, je lui faisais perdre un temps précieux, il était en panne sans les documents. Il a hésité une seconde. Et c'est reparti de plus belle. Je revoyais ma pute, bien sûr, il aurait dû s'en douter, cette salope, elle n'en finirait jamais de s'accrocher, et moi, pas capable de la virer, une fois pour toutes, bonne pâte, un con oui, sans lui je me serais déjà laissé dévorer, je serais effacé à jamais. Je ne me rendais pas compte de la chance que j'avais, ou de la faveur qu'il me faisait. Il ne m'avait d'ailleurs rien demandé, je devais bien m'en souvenir, mais à présent il fallait assumer, respecter mes engagements, faire preuve de caractère. Il a fini tout doucement, d'un ton compatissant, amical. Il m'a tendu une nouvelle liste de textes à consulter et copier en partie. C'était le dernier avertissement, pourtant. Il ne pardonnerait plus aucun écart, ni retard. Il aime bien jouer sur les mots, les sons. Et ça a l'air de lui venir tout seul, avec une facilité déconcertante.

J'ai décidé de travailler à fond pendant une semaine, attendre que les choses se calment. Ensuite, on verrait. Peut-être qu'il me laisserait un ou deux jours de libres, après toute cette peine en sous-sol.

6 décembre

La bonne moitié des livres de sa liste, il me les a déjà fait copier. Les mêmes passages, les mêmes détails. Je n'en croyais pas mes yeux, ce matin, quand le bibliothécaire m'a apporté d'anciennes fiches d'emprunt. Pour me prouver qu'il avait raison. Moi, je n'aurais rien remarqué, je n'aurais pas fait attention. Ces textes, je les recopie, comme une machine en quelque sorte, mais il ne m'en reste rien, ou presque. Tandis que le bibliothécaire, il se souvient de tout, les cotes, les pages. Pour lui, c'est plus facile, ça correspond à des rayonnages, à des secteurs, et puis il y a la poussière, nous ne sommes pas si nombreux à fouiller dans les archives, une manipulation récente, ça laisse des traces.

Ce soir, Robert a paru étonné, et décontenancé, quand je lui ai fait part de son erreur. Puis il a souri. Il a dit que c'était le désordre de son bureau, la table de travail était trop petite pour ce genre de recherche, on y égarait sans cesse des papiers, entassés les uns sur les autres. D'ailleurs il arrivait au bout, je n'avais qu'à relever les textes de la liste qui ne l'avaient pas encore été, et ce serait fini. Tant mieux, parce que je suis vraiment saturé.

10 décembre

Enfin ma besogne de copiste est arrivée à son terme. J'ai accéléré, vers la fin, à cause d'un sentiment d'étouffement dans ce sous-sol. Et le bibliothécaire qui me talonnait, pas une minute de répit, comme si Robert l'avait chargé de me surveiller. Il en serait capable, le vieux, tellement il est méfiant, il veut toujours tout savoir, et contrôler.

Hier, Mattilda a téléphoné. Pour me dire qu'elle ne voulait plus me voir. Avant longtemps, a-t-elle ajouté. Et il fallait que j'arrête de l'attendre, de la traquer. Elle m'avait donc vu, et évité. J'ai quand même obtenu un rendez-vous, à voix basse, le vieux était dans les parages. Heureusement qu'il n'a pas répondu lui-même. Il ne répond jamais au téléphone quand je suis là. Il ne supporte pas cela. On se demande pourquoi il l'a fait installer, si c'est une telle douleur.

11 décembre

Robert m'a tout de suite trouvé une nouvelle occupation. Il faudrait taper des lettres de sa correspondance, toutes selon un même format, pour faciliter leur classement. Il y en a des centaines, je le crains. Cela n'arrêtera donc jamais. Et demain, je dois voir Mattilda. Il faudra trouver une excuse.

Le temps est encore très doux pour la saison, on déjeunerait volontiers dans le jardin. Mais Robert a peur des courants d'air. Il multiplie les précautions contre toute atteinte extérieure, et me met presque en quarantaine au moindre rhume que j'attrape. A ce régime il va devenir centenaire, le con.

12 décembre

Rencontré Mattilda dans le square voisin de la cathédrale. J'avais prétexté le besoin de prendre l'air, d'un peu d'activité après le repas. Robert n'a pas réagi. Peut-être n'avait-il pas entendu. Ou ça lui a paru naturel. Hygiénique.

Elle n'a rien voulu entendre, ni comprendre, Mattilda. J'avais fait un choix, elle m'avait assez prévenu. Elle n'a pas osé me regarder, comme si elle avait eu peur de flancher. Ou de se révéler. Peut-être me déteste-t-elle, à présent. Je lui ai demandé de parler, elle n'a dit que des choses sérieuses, et froides. Un masque. Elle était pressée parce qu'elle avait encore une quantité d'affaires à régler, et des travaux à rendre, avant Noël. Les vacances, elle les passerait chez ses parents. Gentille petite fille.

A la fin, elle m'a quand même dit que j'étais un salaud. D'une certaine façon ça m'a fait plaisir. Son attitude distante, indifférente, aurait fini par prodigieusement m'énerver, j'aurais été à deux doigts de la gifler, ou de l'insulter. Mais je la connais, Mattilda, elle doit souffrir sans en avoir l'air. Et moi, je l'aime aussi, mais c'est comme si nous ne pouvions plus nous le dire. Nous aurions beau hurler, ça ne passerait plus. Il valait mieux attendre. Nous nous sommes quittés sans un mot.

13 décembre

Certains des documents et manuscrits qu'il m'a fait relever à la Bibliothèque nationale, des textes parfois étranges et hermétiques, il les connaissait pourtant, le vieux. Ou il aurait dû les connaître. J'en ai en effet remarqué plusieurs mentionnés ou reproduits dans sa correspondance, avec des commentaires, des projets, il avait déjà dû y travailler, à différentes périodes. Mais alors, il ne se souviendrait plus de tout ? C'est vraisemblablement sa recherche, si ample à mener, qui a semé la confusion dans sa tête. Cela fait quelques jours qu'il est un peu dans la lune. Depuis des semaines en fait. Il semble ailleurs, de longues minutes. Ou bien, il s'interrompt brusquement, sans raison apparente, et il s'enferme dans un silence maussade. Ecrire, inventer, ça ne lui convient pas. Il va finir par perdre la raison.

Point de vue santé, au contraire, il se porte plutôt bien. Le frais hivernal l'a ragaillardi. Il repique du vif de jour en jour.

14 décembre

Je m'ennuie. Pour la première fois depuis que je me suis installé ici, je m'ennuie *totalement*. C'est peut-être le fait de taper à la machine, je déteste ça. Et le vieux, il a tout mélangé, je ne sais pas comment il va réaliser son classement. Certaines lettres ne portent même pas de date.

15 décembre

Reçu un mot de Mattilda. Nous nous verrons en janvier, à la rentrée. Elle aura réfléchi. A quoi, puisqu'elle n'a pas voulu entendre mes explications ? Moi, tant que le vieux l'exige, je suis coincé ici. Je me suis trop engagé, il serait insensé d'abandonner maintenant.

20 décembre

Je pars demain, quelques jours, retrouver mes parents à la montagne. Ils ont loué un appartement pour les fêtes. C'est très beau, paraît-il, et vaste. L'air et l'altitude me feraient du bien. Je n'aime pas la montagne.

Le vieux n'a rien objecté quand je lui ai annoncé mon proche départ. Je reviendrai début janvier, le 3 au plus tard. Il a souri. Une famille, ça doit lui sembler ridicule.

21 décembre

Incroyable ! Il avait oublié que je partais. Il a prétendu que je ne lui avais rien dit, que si au moins je l'avais prévenu il aurait pu prendre ses précautions, trouver un arrangement. Mais là, il se trouvait dépourvu de tout recours, et s'il commençait à neiger, comment ferait-il ? Je le savais pourtant, dès que les routes étaient glissantes, il ne pouvait plus sortir, sans parler des escaliers, c'était encore pire. Et il n'y avait pas assez de réserves en nourriture, impossible de tenir un siège.

De la neige, il n'y en a jamais, ici. Parfois en février, mais en tout cas pas avant. Je suis finalement allé lui faire des courses, avec la voiture, tellement il avait peur de manquer. La liste ne s'arrêtait plus, il m'avait bien recommandé d'être attentif aux dates limites de mise en vente. Je crois qu'il a vraiment eu peur, il s'est senti abandonné, piégé. J'ai raté mon train. Il n'y en avait plus avant demain matin. Moi qui voulais éviter la cohue, les foules et les queues d'attente, je vais être servi. Et tout ça pour aller en montagne, c'est un comble !

A mon départ, il m'a juste dit qu'il contrôlerait, qu'il téléphonerait, parce que mon histoire de vacances avec les parents, il n'y croyait pas vraiment. Cela m'étonnerait bien, qu'il téléphone. Du vent, tout ça.

4 janvier

Il a eu l'air content de me voir, vraiment content, le vieux, malgré mon retard. Il n'a pas neigé, bien entendu. Alors il reste deux fois trop de provisions, dont la plupart sont périmées. Il a dû se soigner aux petits oignons pendant les fêtes, Robert, traiteurs et tout le commerce. Il me semble qu'il a grossi. En tous les cas, ses poches sous les yeux sont plus marquées qu'avant. Et il a de la peine

à se mouvoir, avec une respiration obstruée.
Il a installé une radio dans ma chambre, un vieux poste qu'il aurait retrouvé dans un cagibi. Cadeau de Noël, qu'il a bougonné.

5 janvier

Mattilda a téléphoné. Elle avait déjà appelé avant-hier, le vieux ne m'en avait pas parlé. Il avait oublié, soi-disant. Mon œil.
Elle sera à nouveau absente, jusqu'à la fin du mois. Impossible de savoir où elle allait, ça m'a énervé. Elle était pressée, mais avait réfléchi. Favorablement. Nous nous verrions à son retour.

8 janvier

Les listes de commissions de Robert sont de plus en plus détaillées, un vrai roman. Mais ça fait trois jours consécutifs qu'il me fait acheter de la moutarde. Toujours la même. Le con, il ne va pas commencer à perdre la mémoire, au moins ? Ce serait le bouquet ! Tous ces efforts pour rien ? J'ai décidé de le surveiller. Oui, veiller au grain.

10 janvier

A nouveau ce matin, la liste de Robert comportait plusieurs erreurs. Et toujours cette moutarde, il doit faire une fixation. Hier soir nous avons longuement discuté, lui affalé dans son fauteuil, moi à terre. J'aurais voulu lui faire réciter des textes, l'amener à évoquer le passé, ses lectures. Mais il n'était pas décidé, il voulait au contraire parler du présent, de son travail dans lequel il rencontre une foule de problèmes imprévus. Il faudra sans doute que je l'aide bientôt, il y a trop de matières à brasser, de paperasses à trier, pour une seule personne. Et je devrais déjà dactylographier quelques pages, des chapitres, pour dégager le terrain. Il s'est bel et bien mis à l'écrire, son fameux livre.

A la fin, il m'a demandé des nouvelles de cette fille, cette gamine avec qui il m'avait rencontré. Mattilda. Il a prétendu qu'il ne connaissait pas son nom, qu'il ne l'avait jamais connu. Je ne l'ai pas contredit. C'est pour cela qu'il ne m'a fait aucun reproche lorsqu'elle a téléphoné. Il ne l'a pas bien située, il n'a pas fait le lien. Pourtant je suis quasi certain de lui avoir indiqué comment elle s'appelait.

11 janvier

Robert est revenu sur la question. Il a fait le rapprochement, à présent, avec le téléphone de l'autre jour. Alors il a protesté, qu'elle avait un sacré culot cette gamine de téléphoner chez lui, et que moi j'étais un beau petit imbécile de lui avoir donné le numéro, nous ne pourrions plus être tranquilles, avec les femmes c'était toujours la même chose. Sa colère était telle qu'il n'a plus trouvé ses mots. Il s'est presque étranglé, pour un peu il aurait crevé dans ses cris. Il est parti en claquant la porte.

14 janvier

A plusieurs reprises ces derniers jours, j'ai remarqué des blancs, des pertes de mémoire chez Robert. Comme s'il était subitement perdu. Il ne va pas me faire ce coup-là !

17 janvier

J'ai décidé de mettre le vieux au régime, de stimuler sa mémoire, la secouer avant qu'elle ne commence vraiment à dériver, à débloquer. Hier, j'ai fait du poisson, il paraît que c'est bon pour la mémoire. Tout le monde le dit, ça doit être vrai. Mais Robert n'aime pas le poisson. Parce que ça pue. Il affirme qu'il n'a jamais supporté cela, et que ce n'est pas aujourd'hui qu'il va renouveler ses goûts. Comment peut-on ne pas aimer le poisson ? Une idée fixe, un préjugé. Il n'a jamais fait l'effort de vraiment goûter. De se dire que ce pourrait être bon. Non. Un jour il a décrété qu'il n'aimait pas, il a classé le poisson dans l'immangeable, définitivement, et lui, pour le faire changer d'avis, c'est toute une affaire. Il faudra trouver un moyen indirect, en mettre dans les sauces, les jus, par exemple. Ou bien des crustacés ? Il les aime. Il en mangerait à s'en faire sauter les tripes. Puisque ça vient de la mer, c'est bon pour la mémoire, il n'y a pas de raison. Tout ce qui vient de la mer doit être favorable. Les algues aussi. Mais les crustacés, ça coûte un paquet d'argent, je ne pourrai pas lui en servir tous les jours.

Des sous, il en aurait assez, mais il a toujours vécu modestement, dans un équilibre parfaitement calculé. Surtout pour la nourriture, à l'exception des fêtes.

18 janvier

Mattilda a de nouveau téléphoné, elle ne voulait pas dire d'où elle appelait. Toujours ces cachotteries. Elle a dit qu'elle avait le cafard, que je lui manquais, que nous avions dérapé. Il faudrait tout reprendre depuis le début, nous expliquer. Ce qu'elle ne veut pas comprendre, c'est que je suis coincé, jusqu'à la mort du vieux, ou jusqu'à ce qu'il devienne tolérant, laxiste disons, mais là il ne faut pas trop espérer. Je ne lui ai rien répondu, à Mattilda, je lui ai juste dit qu'à moi aussi elle me manquait, qu'elle me manquait depuis le début, que j'avais tout de suite su que sans elle ça n'avait pas de sens, que je ne pouvais pas vivre loin d'elle. Un temps avait disparu, le futur. Elle a paru hésiter. Je lui ai aussi demandé si elle ne connaissait pas des aliments réputés favoriser la mémoire. Mais pas le poisson. J'en ai assez du poisson. Elle sait tout, Mattilda, des recettes et techniques, d'autrefois surtout, un véritable guide pratique.

Ma question l'a surprise, bien entendu. Il fallait qu'elle réfléchisse, elle ne pouvait pas me répondre tout de suite. Enfin, si. Il y avait les asperges, elle en était absolument certaine, à cause de l'acide aspartique. Comme elle le disait, ça semblait évident.

Elle a fini par me demander pourquoi je m'intéressais à ces aliments, si j'avais l'espoir de sauver mes études par la nourriture. Elle ne plaisantait plus avec moi depuis longtemps, avec ce ton enjoué et parfaitement excitant ; ça m'a fait plaisir, au point où nous en étions arrivés, qu'elle se moque ainsi de moi. Quand je lui ai dit que c'était pour le vieux, elle m'a répondu que je n'avais qu'à le bourrer de Tonoglutal, il n'y avait rien de plus efficace, et à haute dose, ça finirait peut-être par le faire crever, ce dégueulasse. Cela étonne toujours, un mot grossier dans la bouche de Mattilda. Comme s'il était trop gras, comme si elle avait besoin de pousser pour l'expulser, s'en débarrasser. Tonoglutal. J'ai pris bonne note. Mais des dragées, comment je vais lui faire avaler ça ?

21 janvier

A la pharmacie, en même temps que j'achetais du Tonoglutal, j'ai demandé s'il n'existait rien d'autre pour la mémoire, des médicaments, mais sous forme plus discrète que les dragées. Ou des aliments. La jeune fille qui me servait a d'abord souri. Elle semblait embarrassée. C'est ridicule, enfin, il n'y a pas besoin d'avoir cent ans pour connaître des problèmes de mémoire. Elle a finalement résolu son hésitation en allant appeler le pharmacien lui-même, ou un employé compétent, un monsieur dans la quarantaine. Lui, ça ne l'a pas étonné. Peut-être ai-je une tête à m'intéresser à ces questions ? Ou à ne rien retenir ? Alors il a commencé à fouiller dans ses tiroirs. Il m'en a sorti de toutes sortes, liquides, gélules, comprimés effervescents, sirops, poudres. L'encéphabole pouvait s'avérer très efficace, une stimulation cellulaire, ça relançait la machine en quelque sorte, à toute vapeur. Mais cela aurait été plutôt conseillé pour les enfants. Je n'ai pas osé lui dire à quel point il était loin du compte. Il y aurait eu aussi toute une série de produits à base d'ail, parce que l'ail, c'était excellent, surtout s'il y avait un problème de tension qui se conjuguait aux pertes de mémoire. En effet, les deux étaient souvent liés, surtout chez les personnes âgées. La trop forte tension perturbe l'alimentation cérébrale, et crée des dysfonctionnements pouvant atteindre le stade d'une gravité fatale, paralysie du cerveau, embouteillages dans les canaux, crispations, solidifications, une atrophie sans retour. L'ail, il aime, il en raffole, Robert, c'est aussi pour cela qu'il pue tellement de la bouche. Eh bien, il va être servi, à satiété. Je n'ai pas pu m'empêcher de sourire. J'étais enfin tranquillisé.

Sinon, il y aurait encore eu le ginseng, on fabriquait beaucoup de médicaments, ou de stimulants, à base de ginseng. Et les artichauts, peut-être, ça ressemblait aux asperges, mêmes propriétés, en principe ça devait aussi être utile pour la mémoire. Surtout, il y avait les vitamines en général, donc les fruits, les légumes, ça ne ferait de toute façon pas de mal. En particulier ce qui contenait des vitamines A et E. Cela m'a toujours fait rire, ces lettres, d'une abstraction un peu ridicule, enfin il paraît que celles-là favorisent la régénérescence des tissus, et activent le métabolisme. Je ne sais plus, au juste, il m'en a tellement raconté. J'ai pris note de tout, avec les détails, posologie, etc. Histoire de varier, de tout essayer. Le vieux, je vais le mettre en ébullition, dans sa tête.

26 janvier

Robert s'est plaint de ne plus bien dormir, de se sentir lourd. Avec tout l'ail que je mets dans les plats, à toutes les sauces, ce n'est pas vraiment étonnant. Moi aussi je me sens un peu bizarre.

27 janvier

Hier soir, Robert est reparti dans ses grandes envolées, citations, récitations, souvenirs, avec une frénésie réjouissante. Jusqu'à plus de minuit. Je suis rassuré. Premiers effets, immédiats, du régime ?

28 janvier

Par hasard, en rentrant du centre-ville ce matin, j'ai surpris Robert chez l'épicier, complètement perdu, ne sachant plus ce qu'il devait acheter, quel jour on était, le menu que ça imposait. Il ne m'avait pas vu. L'épicier n'attendait plus les ordres, enchaînait les gestes selon une habitude prise depuis tant d'années, mais il grimaçait, le vieux, on voyait qu'il faisait des efforts, comme s'il avait été lui-même surpris de ce qui lui arrivait. Il a secoué la tête, à deux ou trois reprises. Après, il a pris le sac qu'on lui tendait, il a hésité, et il est parti, sans un mot. Cela n'a pas dû lui faire plaisir, à l'épicier, de reporter l'addition sur l'ardoise. Quand je lui ai demandé si ça lui arrivait souvent, à M. Robert, d'être ainsi perdu, de ne plus se souvenir, il a fait semblant de ne pas entendre, de ne pas comprendre. Il a ensuite dit que le vieux devait être inquiet, avec le froid de ces derniers jours, et les prévisions météorologiques, pessimistes. La neige, c'était sa hantise depuis qu'il avait été bloqué pendant trois semaines chez lui, là-haut, quelques années auparavant. Et il m'a raconté toute l'affaire, jusque dans les détails les plus exaspérants. J'ai fini par l'interrompre, je suis parti brusquement, parce que j'ai compris que je n'en pourrais rien tirer. Et il me fatigue avec ses histoires, l'épicier. Il est encore pire que l'ancienne concierge de Mattilda.

1er février

Il a gelé, très fort. Et comme il a plu hier soir, les routes et les chemins sont impraticables, recouverts d'une fine pellicule de glace. Avec Robert, nous avons passé toute la journée à classer ses fiches, à trier des documents et des images. Il avait tout mélangé, dans le désordre de son bureau, alors nous avons éparpillé les papiers sur la grande table du salon. Mais il a bien veillé à ce que je ne voie pas ce qu'il est en train d'écrire. Top secret. A part cela, il est en pleine forme. Pas gâteux pour quatre sous, comme dirait Mattilda. Elle a toujours de curieuses expressions, de la campagne.

3 février

J'ai acheté un magazine, avec toutes sortes de questionnaires de culture générale, une véritable encyclopédie. Pour tester le vieux. Eh bien, je n'ai pas réussi à le coller, il a répondu à toutes les questions sans la moindre hésitation. Au début, il ne voulait pas jouer, prétendant que c'étaient des enfantillages. Mais il s'est vite pris au jeu, tout excité à la fin, il ne voulait plus arrêter. Moi, j'avais obtenu ce que je voulais, j'étais soulagé. Je me suis sans doute fait des idées, à cause de la panique. Ce serait vraiment trop bête, et intolérable, qu'il perde la mémoire, Robert. Après tout ce que j'ai fait pour lui !

Le froid persiste. Avec mes mocassins, j'ai fini par attraper des engelures. Et j'ai beau exposer mes pieds devant le feu chaque soir, ça me démange, de façon presque insupportable. Mattilda a toujours trouvé ridicule que je mette des mocassins en hiver, elle disait que les proportions n'étaient pas respectées, avec mes pantalons velours à grosses côtes. Moi, je trouve que c'est très élégant, contrairement aux chaussures spécialement conçues pour l'hiver qu'on fabrique à présent, de véritables sabots, qui donnent un air pataud.

4 février

Le régime « mémoire » se poursuit. J'ai même réussi à lui faire avaler du poisson, au vieux, en salade, perdu dans la verdure. Peut-être qu'il ne s'en est pas rendu compte tout de suite. Il n'a jamais fait tellement attention à ce qu'il y avait dans l'assiette. Ou jamais tout de suite. Chaque fois il se précipite dessus, comme s'il était affamé. Lui qui prétend toujours à une certaines élégance... On voit qu'il a longtemps vécu seul.

5 février

Je me suis inscrit à des examens. Alors je travaille, comme un forcené. Et pour moi, enfin. Plus beaucoup de temps pour ce journal. Le deuxième cahier touche à sa fin. Je pourrais m'arrêter là. En tous les cas, j'abrégerai.

Quant à l'ordinateur, les disquettes, j'ai définitivement abandonné mon projet. Je tapote parfois dessus, des mémos pour l'examen, histoire de ne pas donner l'occasion à Robert de me reprocher cet achat dorénavant inutile.

7 février

A nouveau surpris Robert, perdu, avec le facteur qui lui expliquait que pour envoyer un paquet avec la taxe des imprimés, il fallait qu'on puisse l'ouvrir, à cause du contrôle postal. Il fait toujours envoyer ses lettres par le facteur, et lui laisse de gros pourboires. Mais l'histoire de l'emballage spécial des imprimés, il avait oublié, complètement. Il confondait aussi les prix, au point qu'on l'aurait cru revenu en arrière de vingt ans. J'ai fait mine de rien. Je crois d'ailleurs qu'il ne m'a pas vu.

8 février

Malgré tous mes bons soins préventifs, Robert a de plus en plus d'absences. Brèves mais régulières. Ou bien c'est moi qui suis plus attentif depuis quelque temps. Ce matin il est revenu avec les mêmes hebdomadaires et revues qu'il avait achetés hier. Quand il s'en est rendu compte, alors que nous prenions le café, ça a quand même paru le troubler. Mais il a dissimulé le paquet dans un coin, pour supprimer le spectacle de ces troubles inquiétants.

9 février

Pour les textes, pas de problème. La mémoire littéraire demeure intacte. J'ai pu le vérifier hier soir, lors d'une longue discussion. C'est-à-dire un monologue, puisque moi je n'ai rien dit, comme de coutume. Parce que je n'ai rien à dire. Il faut attendre encore. Et j'étais tout absorbé à le tester, à contrôler son débit, pour traquer une hésitation. Mais non, un flux impeccable. Par contre, le reste, c'est-à-dire les banalités quotidiennes, ça ne s'améliore pas.

11 février

Ce matin, Robert est rentré frigorifié. Il avait oublié son écharpe et son chapeau chez le glacier. La contemplation d'un groupe de gamins, une école peut-être, lui avait fait oublier l'heure, et il était parti précipitamment. Ce n'est pas une excuse.

12 février

Le vieux perd la mémoire, c'est certain. La bibliothèque n'est pas encore atteinte, mais jusqu'à quand ?

14 février

Le pharmacien, à qui j'ai parlé des troubles de mémoire de Robert, avec une description minutieuse, m'a dit qu'on ne pouvait pas tenter grand-chose, que c'était un signe de sénilité. A son âge, c'était normal, on ne pourrait pas faire de miracle. Il m'a prescrit un extrait d'ail naturel, à tout hasard, en me précisant que ça n'influait pas sur l'haleine, grâce à l'effet tempérant de la chlorophylle. Mais là n'est pas le problème ! Au pharmacien, je ne lui ai pas parlé du régime « mémoire » auquel je le soumets, Robert, depuis bientôt un mois. Cela doit être vraiment grave, si son état empire malgré mes efforts. Il va finir par tout perdre.

15 février

Téléphoné à un médecin, l'oncle de Mattilda, qui travaille dans une clinique privée, en banlieue. Il m'a répété les mêmes paroles décourageantes que le pharmacien. Mais que ce n'était pas grave, il ne fallait pas s'en faire, on n'en mourait pas. Cela ne m'arrange pas, que j'ai eu envie de lui répondre !

17 février

Peut-être que j'exagère, que je suis obsédé, que je le traque, mais j'ai l'impression que Robert oublie tout, qu'il n'a plus sa tête. Et comme il s'enferme de plus en plus dans sa chambre, j'ai de la peine à me rendre compte.

Mattilda rentre dans une semaine. Je pourrai au moins profiter des oublis et distractions du vieux pour la revoir quelques fois.

18 février

Hier soir, pour la première fois depuis que je le connais, Robert ne s'est pas souvenu de la fin d'un poème qu'il voulait me rappeler, dans le cours de la conversation. C'est-à-dire qu'il ne s'en est pas souvenu tout de suite ; après cinq minutes d'efforts et d'agacement, ça lui est revenu. Mais c'est un signe, tous les pans de mémoire commencent à être atteints. Comment freiner l'hémorragie ?

21 février

Cela continue. Robert est mal à l'aise, alors il s'enferme dans sa chambre, dans son bureau. Il doit crever de froid. En raison d'une panne du système central, la seule pièce chauffée est le salon. Mais il a sans doute peur de m'y rencontrer. Je l'ai à nouveau surpris tout à fait perdu, absent, chez l'épicier. Cela ne dure jamais longtemps, mais c'est étrange, inquiétant, de le voir avec ce regard vide, la bouche légèrement pendante, et au bout de quelques minutes une grimace, une secousse de la tête, pour se réveiller, retrouver un fil. Se resituer. Je suis désespéré.

23 février

Aucune amélioration. Toujours les mêmes égarements. Le reste du temps il a l'air tout à fait normal, explosif même. Ça ne va pas durer. Surtout avec l'âge, les choses vont vite. J'ai encore augmenté les doses d'ail.

24 février

Il est en train de tout perdre, et la tête avec. Je n'en dors plus. Lui, il fait mine de rien. Aujourd'hui, il est rentré avec une dizaine de livres, qu'il avait achetés à la librairie internationale. Cela semble un peu dérisoire, ces nouvelles lectures, alors qu'il y a des fuites de toutes parts. L'urgence serait plutôt de colmater les brèches. Robert affirme que le froid va durer, que ça va empirer même, comme il y a trois ans. On sent une pointe d'angoisse dans sa voix, lorsqu'il évoque le gel, la neige. Peur de ne pas passer l'hiver. Tous les vieux connaissent ça.

26 février

Cet après-midi, nous avons bu un thé, pour essayer de trouver un peu de chaleur, calmer nos corps vibrants de froid. Robert semblait rêveur, égaré à nouveau. Difficulté à suivre une conversation. Je me suis remis à parler. A parler plus que lui, même.

La solution serait peut-être de le tuer, assez tôt, puisque le médecin a dit qu'on ne pouvait rien faire.

27 février

Aujourd'hui j'ai mis fin au régime. Cela n'avait plus d'effet. Cela n'en a peut-être jamais eu. Contre l'âge, on ne peut pas tenter grand-chose. Ils me l'ont tous dit. Mais je ne vais pas attendre qu'il ait tout perdu, le regarder se vider de sa mémoire. Près d'une année de sacrifices et d'obéissance pour rien ? Plutôt le tuer, à ce moment-là.

Mattilda rentre dans trois jours. Elle a appelé pour dire qu'il fallait tout oublier, recommencer de zéro. Nous étions faits pour vivre ensemble. Elle crevait d'envie de moi. Sa petite voix timide et étouffée m'a tout émoustillé.

28 février

Cela ne peut plus durer. Le spectacle de ma ruine inévitable est une provocation incessante. Je dois me décider, ne plus tarder. Il fait très froid. Robert n'est pas sorti depuis trois jours. Le manque d'oxygénation n'a pas l'air d'arranger son état.

29 février

Tuer Robert au plus vite. Il serait sans doute d'accord, s'il se rendait compte.

Drôle de journée. Pas un nuage, mais le soleil est comme voilé par le froid. On devrait pourtant aller vers les beaux jours, puisqu'on est dans le Sud.

ROBERT, QUAND ?

Des vagues incessantes d'être inutiles viennent du fond des âges mourir tout le temps devant nous, et cependant on reste là, à espérer des choses.

Louis-Ferdinand CÉLINE.

Quand vais-je manger ? Il faudrait pouvoir accélérer le mouvement. Ou faire une pause. De toute façon, que cherchent-ils ? Mélange d'uniformes et de fonctionnaires en blouse blanche qui s'affairent avec des poudres, des appareils encombrants et sophistiqués, tous effectuant des relevés, méthodiques, efficaces. Ils n'échangent pas un mot, comme si leur manège était réglé à l'avance, et les enchaînements prévus. Pourquoi ces mesures, ces croquis, ces descriptions ? Cet état des lieux ? Ils ne trouveront rien. Il n'y a rien à trouver. Personne ne pourra comprendre.

Au fait, comment ont-ils su ? Je leur aurais téléphoné, après plusieurs heures de claustration, réveillé à moitié d'une longue rêverie, d'une sorte de léthargie. Ou des voisins, inquiets ? Impossible. L'épicier ? Non. Je leur aurais téléphoné. Ou à un ami. Une connaissance de Robert peut-être. Ou à Mattilda ? J'aurais téléphoné, et ils seraient accourus. Ils exigeront tôt ou tard des explications, un mobile, une raison. Ou une absence de raison. Tests, expertises, le petit défilé des psychologues et psychiatres. Irrésistible fou rire. D'autant que Robert, l'histoire de Robert, ses attitudes, ça risque de les dérouter. Encore plus que moi. Affolement et vacillement de leurs catégories rigoureuses et frileuses, pages obscures allant alourdir un dossier déjà bien engagé en cette seule matinée. Et ils ne saisiront pas les références, les inévitables références, ce problème de la mémoire, du savoir, toute cette population intérieure, la parole et le regard des autres, de combien d'autres, dans la tête de Robert, et bientôt dans la mienne...

Je pourrais aussi inventer une version pour eux, c'est-à-dire leur version, un récit crédible, légitime défense, chantage odieux, une exécrable tyrannie, j'aurais fini par craquer. En remettre sur les détails révélateurs, ils aimeront ça. Me justifier, me disculper, circonstances plus qu'atténuantes. Robert ne serait pas là pour se défendre, pour répondre, interrompre, parler à ma place. Je trouverais les mots, puisque ce serait sans importance. Soulagement général, ordre retrouvé, ils n'auront qu'à ouvrir un tiroir déjà étiqueté pour accueillir le cas. Adjugé ! Mais ça va être fatigant. Epuisant. En fin de compte il vaut mieux ne rien leur raconter, ils risqueraient de tout faire rater, de tout confisquer.

Depuis hier, ou avant-hier, les livres sont dispersés, écroulés par milliers sur le sol poussiéreux, poisseux. Toute la bibliothèque étalée, pour un moment d'oubli, une rage irrépressible, dans le feu de l'action. C'est qu'il était coriace, le vieux.

La lumière matinale et crue n'illumine que des rayons éventrés, décharnés, où dorment quelques derniers volumes affalés. A terre, une vie étalée, sans plus aucun sens. La saveur des partitions, évaporée. Nul ne pourra la retrouver, la reconstituer. Pas même moi, destructeur vide. Oui, le secret de sa mémoire se trouvait peut-être inscrit et préservé dans le classement de cette bibliothèque... Dans la nervure de ses goûts, de ses humeurs. Perdu alors ? Disjoint, évaporé ? A moins que... découvrir la pierre, le dernier regard...

Des minéraux, il y en a à la cave, les restes de sa collection, les plus belles pièces sans doute. Bauxite, cinabre, soufre ou corindon, azurite, malachite. Apatite et graphite. Agate. Cornaline. Il m'en a tant parlé, de ces pierres. Mais il ne me les a jamais montrées. A la fin, il a dû oublier. Comme le reste. La porte de la cave était tenue fermée. Pourtant ces noms, même si je ne connaissais que leur pure sonorité dans la plupart des cas, ces noms m'évoquaient mille images.

Si j'ai fini par le tuer, Robert, c'est qu'il le fallait vraiment. J'aurais plutôt éprouvé de la sympathie à son égard, de la tendresse, avec le temps, et toutes ces histoires qu'il racontait. Je pense même que je serais parvenu à l'amadouer, quant à Mattilda. J'aurais obtenu l'absolution. Mais je ne pouvais pas faire autrement, risquer de tout perdre, petit à petit.

D'ailleurs, n'était-il pas trop tard déjà ? Depuis deux heures, et davantage, je me ronge de doutes. Cela durait depuis plusieurs semaines. Des mois sans doute, je ne m'en serais pas rendu compte tout de suite. Car ça ne pouvait pas être arrivé aussi brusquement. Qu'en restera-t-il, de sa mémoire ? S'est-il au moins souvenu de ses promesses ? De l'héritage ? Je l'ai pourtant mérité, je crois.

Réflexion faite, j'aurais dû le tuer plus vite,

beaucoup plus vite, Robert. D'emblée, la première fois que j'ai remarqué des trous, des pertes dans sa mémoire. Avec une liste d'achats, si je me souviens bien. Je n'aurais pas dû hésiter. A présent, rien n'est plus assuré.

Il fait trop chaud. Ils sont cons, ces policiers, avec leur feu. Chargé à mort. Déjà qu'il n'y a presque plus de bois. Quel gâchis ! Pour un peu, je somnolerais. Mais j'ai tellement faim. Il ne leur viendrait pas à l'idée de me proposer quelque chose à manger. Eux, ils se sont gavés de croissants, de cafés, pâtisseries, sans gêne.

Et quand l'obtiendrai-je, sa mémoire ? Nous n'avons jamais abordé cet aspect du contrat, avec Robert. Rien n'a été mis au clair. J'espère qu'il se souviendra. Qu'il s'est souvenu. Oui, quand ?

Le chef des techniciens en blouse blanche serre la main du commissaire, tous deux paraissent hésiter. Ils scrutent la pièce, par-dessus les livres qui encombrent le sol et entravent le passage. Le chef se retire avec sa brigade, la porte claque derrière lui, parce qu'un des policiers vient d'ouvrir une fenêtre, occasionnant de violents courants d'air. Le commissaire ordonne : « On y va ! » Chacun se précipite dans tous les sens, comme si une pression trop longtemps contenue se libérait enfin. Deux gendarmes me prennent par les bras. Le commissaire dit encore : « Pas besoin de menottes. » Il a raison. Je ne suis pas un individu dangereux. Plutôt peureux, détestant les coups, la bagarre, les énervements, évitant les conflits, par conscience de mon incapacité à m'y investir, à trouver l'énergie du combat, de la confrontation. Mais avec Robert c'était devenu nécessaire. Urgent surtout, il fallait y passer. Sans excitation, sans perversion. Raisonnablement. Tous ces sacrifices pour rien, vous n'y pensez pas !

Le brouillard s'éclaircit quelque peu. La porte entrouverte dévoile une fébrile agitation au-dehors. Ambulance, voitures officielles et de police. Un brancard nous précède. Je demande à emporter des cahiers. Mon journal.

Depuis quelques heures j'ai l'impression de penser à un rythme exceptionnel. De me souvenir comme jamais. Les phrases, les idées, tout. Je me parle, dans ma tête. De lui, de nous. De Mattilda. Elle rentre aujourd'hui.

La bise souffle, agressive. Pourtant, cette vague attente du soleil, ce sont les heures calmes et fatiguées d'une gelée surmontée. Corps engourdi d'une trop longue veillée. Il faudrait dormir, rêver un peu. S'évader.

Cet ouvrage reproduit par procédé photomécanique
a été achevé d'imprimer sur presse CAMERON
dans les ateliers de la S.E.P.C.
à Saint-Amand (Cher), en juin 1994

N° d'édition : 934. N° d'impression : 1482.
Dépôt légal : mars 1990.
Nouveau tirage : juin 1994.

Imprimé en France